Hella S. Haasse
Sleuteloog

Amsterdam
Em. Querido's Uitgeverij BV
2002

Eerste en tweede druk, 2002

Omslag Anneke Germers
Omslagbeeld Marianne Benkö
Foto omslagbeeld Anatolie Sourow
Foto auteur Jerry Bauer
ISBN 90 214 6686 4
NUR 301
www.boekboek.nl

Geachte mevrouw Warner,

Mijn naam is Bart Moorland. Ik ben freelance journalist met als achtergrond studies sociologie en politicologie.

Momenteel werk ik aan een project over westerse activisten op het gebied van mensenrechten en milieubescherming in Zuid-oost-Azië. Bij mijn onderzoek ben ik herhaaldelijk de naam tegengekomen van een zekere Mila Wychinska, die in de jaren zestig en zeventig een belangrijke rol gespeeld schijnt te hebben als contactpersoon tussen verschillende internationale organisaties en de lokale bevolking, onder andere in Indonesië en Maleisië. Veel mensen die ik gesproken heb wisten van haar bestaan, maar hadden haar nooit ontmoet, en ook eigenlijk niets te melden behalve vage en nogal tegenstrijdige verhalen.

Zij is, naar sommigen beweren, overleden tijdens een reis op Sumatra (of Java, of Timor, dat wordt niet duidelijk). Ook de datum en de omstandigheden van haar dood zijn mij niet bekend.

Toen ik hoorde dat zij (ondanks die volgens mij Poolse naam) van Nederlandse origine was, heb ik natuurlijk geprobeerd hier in Holland informatie over haar te krijgen. Ik kon alleen te weten komen dat zij afkomstig was uit Batavia, in het voormalige Nederlands-Indië, en dat zij, ook in de Soekarno-tijd, nog lang op Java of elders in Indonesië heeft gewoond.

Ik ben op zoek naar gegevens over haar jeugd in de tropen, vooral in verband met het feit dat zij zich blijkbaar al voor de Tweede Wereldoorlog, in een tijd toen dat nog nauwelijks bespreekbaar was, een voorstander heeft getoond van een onafhankelijk Indonesië.

Waarom ik me tot u wend? Uiteraard ken ik u als kunsthistorica. Ik hoorde ook een en ander over het interessante werk dat u gedaan hebt in verband met de restauratie van gebouwen uit de tijd van de Verenigde Oost-Indische Compagnie. Dat is de reden waarom ik u aanspreek bij de naam onder welke uw wetenschappelijke artikelen gepubliceerd zijn (uw meisjesnaam Herma Warner) en niet als mevrouw Tadema.

Ook u bent geboren en opgegroeid in het koloniale Indië, in Batavia, en bovendien bent u een leeftijdgenote van Mila Wychinska. Iemand zei me dat u mogelijk op dezelfde middelbare school gezeten hebt als zij. Op nog bewaard gebleven lijsten van leerlingen van de vooroorlogse Europese scholen in Batavia heb ik haar naam niet kunnen vinden, wel die van u en uw echtgenoot.

Kende u haar? Zo ja, dan zou u mij een grote dienst bewijzen door me toe te staan u een aantal vragen te stellen.

Met de meeste hoogachting,

B.J. Moorland

Zonder die brief zou ik er nooit aan begonnen zijn.

Ja, ik heb haar gekend, Adèle, Adé, Dee Mijers, die later net als haar Poolse moeder Wychinska wilde heten en Dee in Mila veranderde, om alle 'Hollandse' en 'Indische' associaties uit haar naam te bannen. Maar wat ik over haar zou kunnen vertellen zal, vrees ik, die journalist niet wijzer maken. Haar leven, en ook het mijne, zijn bepaald door factoren die ik als onherroepelijk gedateerd beschouw. Heeft het zin op te rakelen wat voor niemand meer invoelbaar is?

Ik besef allang dat de verzonken wereld van mijn jeugd voor een groot deel illusie is geweest. Alle stadia van afscheid nemen en ontwennen heb ik doorlopen. Wat ik in mijn geboorteland zintuiglijk en emotioneel beleefd heb, ligt verankerd op de bodem van mijn bewustzijn, het bepaalt mij, maar ik kan er niet meer bij. Dat ik nergens ooit helemaal thuishoor heb ik aanvaard als mijn natuurlijke staat van zijn. Dat geeft me vrijheid, en het vermogen me aan te passen, of juist op afstand te blijven, al naar het uitkomt. Dee beschouwde, ten onrechte, die eigenschap als typisch voor de 'Belanda', die, zoals zij het ooit uitdrukte, zich als een kameleon kan gedragen om de omgeving waarin hij domineren wil naar zijn hand te zetten. Misschien heeft zij later begrepen dat het mijn manier – en de hare! – was om te leven met de innerlijke verdeeldheid die ons beiden kenmerkt.

Heb ik het recht Dee 'uit te leggen'? Kan ik dat, zonder zelf in het geding te zijn? Ik ben bang voor de tweeslachtigheid, de dubbelzinnigheid van de afweer die ik voel. Ik wil me niet, en toch eigenlijk wel, verdiepen in de aard van het verzoek dat die brief bevat.

Moorland maakt iets veel te gewichtigs van mijn bijdrage aan de restauratie van houtsnijwerk uit die paar achttiende-eeuwse huizen in Jakarta. Er valt op dat gebied niet veel meer te restaureren. Hoe lang heeft het niet geduurd voor er (door Nederland) geld beschikbaar gesteld werd, en dat aanbod door Indonesië geaccepteerd is? De autoriteiten in Jakarta geven uiteraard geen voorrang aan het herstel van koloniale antiquiteiten, behalve wanneer die een functie kunnen vervullen in het economische en sociale leven van de stad.

Maar soit, mijnheer Moorland heeft mij een compliment willen maken.

Ik weet niet of ik hem zal ontvangen. Ook een schriftelijk antwoord stelt me voor problemen. Hier, in mijn landelijke uithoek, voel ik me buiten de tijd geraakt. De oude beuken- en kastanjebomen op het grasveld voor dit huis waar ooit mijn grootouders woonden zijn nauwelijks veranderd sinds ik als kind in hun schaduw speelde, tijdens het enige Europese verlof van mijn vader, zeventig jaar geleden. Die zware stammen, die breed uitwaaierende bladerkronen, geven me eenzelfde soort besef van werkelijkheid, dat is: van verwantschap met de natuur, als het overweldigende groen van Java.

's Zomers breng ik bij goed weer hele dagen door in mijn tuinhuis-met-voorgalerij, verscholen tussen het dichte geboomte. Net zoals toen Taco nog leefde. Bivakkeren in de 'pondok' noemden we dat. Voor mijn gevoel is hij nergens nog zo aanwezig als daar.

Zo leef ik naar mijn dood toe, in harmonie met de onbegrijpelijke orde der dingen. Boeken en muziek versterken die ervaring van rust. Ik ben wel op de hoogte van de actualiteit, maar ik neem die in me op met een relativerend vermogen dat mezelf vaak verbaast. Het verleden wijkt terug in nevels, en is alleen te interpreteren vanuit een heden dat ik evenmin in zijn ware gedaante kan zien.

Sinds Taco's dood, nu bijna zeventien jaar geleden, heb ik niet meer het deksel opgetild van de ebbenhouten kist met koperbeslag waarin ik bewaar wat ik nog altijd 'Indië' noem. Ooit ben ik van plan geweest die brieven, documenten en foto's te vernietigen. Nu kunnen ze van pas komen.

Maar ik ben de sleutel kwijt. Het is er een met een

opvallend afwijkende vorm. De 'baard', die in het ingewikkelde antieke slot van de kist past, bestaat uit een serie ongewoon grillige tandjes, en het 'oog' is een verguld opengewerkt ovaal. Daarbinnen bevindt zich een ornament van verstrengelde lijnen, dat op Arabisch schrift lijkt. Ik moet die sleutel kunnen vinden. Dagen heb ik doorgebracht met zoeken, laden leeggehaald, dozen omgekeerd, stoffige planken afgetast, zonder ander resultaat dan wanhoop over de rommel die ik in de loop van de tijd vergaard heb.

Hoe krijg ik dat deksel omhoog? Het sluit onwrikbaar vast aan op de rand van de kist. Ik zal er hulp bij moeten halen, een vakman, een slotenmaker voor fijn werk, als zo iemand hier in de buurt te vinden is.

De vraag van die journalist heeft iets teweeggebracht wat me niet meer met rust laat. Ik kan niet bij de inhoud van mijn kist, maar nu lijkt het alsof er een slot in mijn geheugen is opgesprongen. Ik zal opschrijven wat me in gedachten komt.

Wanneer ik aan Dee denk, zie ik haar het liefst voor me zoals zij was als kind: druk, watervlug, lenig, en toen al met die fonkelende donkere blik, die tot mijn verontwaardiging veel mensen brutaal en onbetrouwbaar vonden. Ik was ervan overtuigd dat niemand haar zo goed kende als ik. Dus wist ik dat zij ongeduldig en soms haast fysiek onwel werd als een spel of een situatie thuis of op school naar haar zin te lang duurde. Uit pure verveling kon zij door het dolle heen raken, plagen en sarren, of zich juist onbereikbaar maken in bokkig zwijgen. Anderen zagen niet wat ik zag, de nieuwsgierigheid en de heimelijke pret in de blik waarmee zij het effect van haar gedrag in zich opnam. Zij begreep natuurlijk dat zij op die manier een zekere macht kon uitoefenen, en tegelijkertijd vond zij het ook belachelijk dat volwassenen en domme kinderen zich door haar lieten ringeloren. Verachting vonkte dan in haar ogen.

Omdat ik nooit het gevoel had dat ik behoorde tot degenen die Dee als 'anderen' beschouwde, trok ik mij niets aan van haar tinka's. Plotseling veranderde zij weer in haar gewone speelse, meeslepend levendige zelf. Er was niets gebeurd.

Later, toen wij jonge meisjes waren, kon ik niet meer steeds zo onbevangen gelijkmoedig reageren op de onvoorspelbare wisselingen in Dees humeur en gedrag. Ook voor mij deed haar manier van kijken soms afbreuk aan haar schoonheid.

Want Dee was mooi. Zij had een matte, licht getinte huid, een smal gezicht met een korte rechte neus, en ogen die, naarmate zij ouder werd, een groenig-bruine glans kregen. Zij leek langer dan zij was door haar trotse houding.

Zelfs de slotenmaker uit Zutphen die zo vriendelijk

11

was op zijn vrije zondagmiddag bij mij langs te komen kon mijn ebbenhouten kist niet open krijgen. Hij wil er wel een ander slot in zetten, maar dat betekent dan dat hij de grote prachtig bewerkte koperen plaat, die met dozijnen vrijwel onzichtbaar in het metaal gedreven spijkertjes om het sleutelgat heen is vastgezet, moet slopen. Ik wil die onherstelbare schade niet. Ik geef de hoop niet op de sleutel te vinden, die immers niet weg kan zijn.

De keuzes die Dee in de loop van haar leven gemaakt heeft – een paar daarvan weet ik, naar de rest moet ik raden – zijn, denk ik, te verklaren uit een diepgeworteld gevoel van onzekerheid. Ik heb daar vroeger nooit iets van gemerkt, integendeel, ik vond haar juist zo uitdagend zelfbewust, en door haar spot verheven boven de vooroordelen van de Indische maatschappij van toen.

Maar nu begrijp ik dat die houding camouflage was. Zelfs voor mij droeg zij een masker. Achter trots en 'branie' verborg zij de vernederende overtuiging niet voor vol aangezien te worden. Zij heeft houvast gezocht in groeiende rancune. Die maakte haar hard.

Er staat iets donkers en ondoordringbaars tussen haar en mij waar ik liever niet aan raak. Ik weet niet waar zij is. Ik weet niet eens wie zij is op dit ogenblik – als zij nog leeft.

Vandaag samen met mijn trouwe Stien weer lang tevergeefs gezocht naar de sleutel. We hebben ook goed gekeken in de kamers die ik niet meer gebruik, al begrijp ik niet hoe het ding daar zou kunnen terechtkomen. Stien had een nichtje meegebracht, een kritische scholiere van zestien, die me al dadelijk toevoegde: 'Asociaal, zoals u hier woont.'

Ik zei haar dat ik dat zelf ook ingezien heb, en zal verhuizen zodra er plaats voor me is in ons lokale rustoord Het Hoge Bos, waar ik al sinds een paar jaar op de wachtlijst sta. Het stemde haar niet milder, hoewel zij energiek meehielp met zoeken, vooral op zolder, waar nog van allerlei bric à brac uit de inboedel van mijn grootouders ligt.

Voor ze wegging daarnet, in het bezit van een koperen blaker en een po van gebloemd email, hoorde ik haar zeggen: 'Shit, de halve dag verknald. Die sleutel is er natuurlijk helemaal niet.'

'Ze is oud, ze weet het niet meer,' zei Stien vergoelijkend.

Oude mensen praten vaak in zichzelf, of tegen denkbeeldige aanwezigen. Is het schrijven dat ik nu doe een variant van die hebbelijkheid? En tot wie richt ik me dan?

Geachte mevrouw Warner,

Veel dank voor uw brief. Ik stel het buitengewoon op prijs dat u, ondanks de pech met die hermetisch gesloten kist, toch op mijn verzoek wilt ingaan. Dat u uit uw geheugen moet putten, maakt de inlichtingen niet minder waardevol.

Ik kijk uit naar de beloofde gegevens.

Hoogachtend,

    B.J. Moorland

Gegevens over Dee, zwart op wit, waar Bart Moorland iets aan heeft? Om te beginnen zou ik moeten uitleggen hoe ingewikkeld haar familieachtergrond was. In grote trekken ken ik die, omdat ik er ontelbare malen over heb horen praten.

Ooit nam, in de zeventiende eeuw, Jonas Muntingh, een koopman in dienst van de Verenigde Oost-Indische Compagnie, 'een vrouw van het land' tot wettige echtgenote. Hij werd rijk en liet aan een bocht van de rivier Tjiliwoeng, even buiten Batavia, een huis bouwen, waar hij met zijn gezin ging wonen.

Ook Muntinghs nakomelingen maakten fortuin, in de handel, en door huwelijken met leden van schatrijke Chinese families. Zij kochten land en werden zo van kooplieden grootgrondbezitters. De enige erfgename van het landgoed Pakembangan, halverwege Batavia en Buitenzorg, trouwde in het laatste kwart van de negentiende eeuw met een telg uit het adellijke Franse geslacht Lamornie de Pourthié, die wegens speelschulden naar de 'Oost' uitgeweken was. Zij kregen twee dochters, Louise en Adèle. Om zich blijvend te verzekeren van de betrokkenheid van zijn assistent op de onderneming, die bekwaam, met harde hand, het werkvolk regeerde en zo de productie van de rijstvelden en veestapel opvoerde, dwong Lamornie de Pourthié, die geen zakenman was en ook geen verstand van landbouw had, zijn dochter Louise tot een huwelijk met die onmisbare 'opziener'. Zij werd, zoals te verwachten was, doodongelukkig.

Adèle had evenmin geluk. Haar man, een marineofficier, Johan Mijers, stierf aan malaria juist toen hem een benoeming tot tweede adjudant van de gouverneur-generaal in het vooruitzicht werd gesteld. Met haar twee jonge kinderen, Louis en Aimée (die nooit anders genoemd werd dan Non), vestigde Adèle zich in het grote Oudindische huis waar de Muntinghs waren gaan wonen toen in het begin van de negentiende eeuw welgestelde Batavianen naar de koelere 'hoge gronden' ten zuiden van de benedenstad trokken.

Omdat Louise kinderloos bleef, beschouwden de zusters het als een vaststaande zaak dat Adèles zoon Louis Mijers, de enige mannelijke nakomeling van het geslacht Muntingh, ooit Pakembangan zou beheren en behalve het aan zijn moeder toebehorende deel van het familiekapitaal ook dat van zijn tante zou erven.

Als jongen was hij een lastpost, ongezeglijk, brutaal, een 'brandal', die met ongewenste vrienden de stad onveilig maakte en op avontuur ging in het bergland van de Preanger. In 1913 stuurde mevrouw Mijers hem naar Europa, om manieren te leren en savoir-faire op te doen. Ondanks de Eerste Wereldoorlog wierp Louis' verblijf in Parijs, Londen en Zwitserland resultaat af. Met zijn exotisch knappe uiterlijk en de ruime toelage die zijn moeder hem gaf, ontwikkelde hij zich avant la lettre tot het type van de mondaine levensgenieter dat in de jaren twintig de toon zou aangeven.

In mijn ebbenhouten kist moet een 'snapshot' zijn (zo heette dat toen) uit 1927. Louis Mijers, in een voor die tijd opvallend modieus kostuum van lichte soepele stof, niet een stijf witkatoenen pak met hooggesloten jas toetoep, de dagelijkse kleding van mijn vader en zijn ambtenaren-collega's. Hij draagt een panamahoed in plaats van de geijkte tropenhelm, en tweekleurige Amerikaanse schoenen. De bovenste helft van zijn gezicht is beschaduwd, maar zijn tanden blinken in zijn lachende mond onder het dunne snorretje. Hij staat in nonchalante houding geleund tegen zijn Studebaker, die ik me herinner van talloze uitstapjes. De linnen kap is teruggeslagen en ligt in vouwen boven de achterbank. De foto moet genomen zijn in de tuin van ons eerste huis in Batavia, met de rij stekelige planten langs de oprit. Iedereen vond Dees vader een vlotte vent, een hartenbreker. Ook als kind zag ik wel dat hij knap was, net een filmster uit Hollywood, maar onder die charme en branie lag iets verscholen wat soms even zichtbaar werd in zijn blik, en me onzeker maakte. Nooit raakte ik het gevoel kwijt dat hij mij eigenlijk niet mocht, al was hij ook nog zo uitbundig aardig tegen de beste vriendin van zijn dochtertje.

Dee en ik zijn samen opgegroeid. Haar vader en de mijne waren op dezelfde mailboot uit Europa gekomen, in december 1918, vlak na de wapenstilstand, en een jaar later ongeveer gelijktijdig getrouwd.

Dee en ik zijn allebei in 1920 in Batavia geboren. 'Oom Louis' (zo mocht ik hem noemen) kwam vaak bij ons thuis, altijd alleen. Toen vroeg ik me niet af waarom dat zo was, want Dee had immers Non, haar tante, die voor haar zorgde in het huis van haar grootmoeder Mijers. Dat huis was in mijn ogen een paleis, met rijen witte zuilen aan voor- en achtergalerij, en marmeren vloeren waarin je je kon spiegelen. In die wijk van de stad hadden de tuinen een parkachtige allure. Het loof van hoge kenaribomen wierp schaduw over de bloeiende planten binnen de witgekalkte randen van de perken, en de rijen potten met rozen en varens. Er waren ontelbare plekken waar wij ons konden verstoppen, bomen om in te klimmen, struiken om onder te kruipen. In een grote volière hield mevrouw Mijers kaketoes en een beo. Maar het meest boeide mij het afdak op palen, de 'pendoppo', die aan de achtergalerij grensde. Dat was het domein van Non Mijers en haar orchideeën. Als kind was ik vooral betoverd door de grillige vormen en de prachtige kleuren van de bloemen. Later kreeg ik oog voor het ingewikkelde procédé van kweken en verzorgen dat Nons leven beheerste.

Van Non bezit ik geen enkele foto. Zij wilde nooit gekiekt worden, verschool zich achter anderen, of maakte zich uit de voeten zodra er een camera tevoorschijn werd gehaald. Dat Louis Mijers en zij broer en zuster waren, zou niemand geloven die het niet wist. Louis had de matte teint en de soepele manier van bewegen van mevrouw Mijers, maar Non was donker van huid, en mager zonder gratie. In haar meestal witte, halflange wijde jurken, met slofjes aan haar voeten, leek zij een gedienstige tussen baboe en verpleegster, of een arme verre bloedverwante die als hulpvaardige huisgenote in dit Indische gezin was opgenomen. Louis en zijn moeder hadden beiden iets hautains in hun blik, ieder op eigen wijze, hij uitdagend zelfbewust, zij ladylike gereserveerd, maar de ogen van Non waren als stil zwart water. Gefascineerd keek ik altijd naar haar lenige vingers, wanneer die voorzichtig, doelgericht bewogen tussen de stengels en luchtworteltjes, de brede leerachtige of langwerpige dunne bladeren, en de bloemtrossen op hun varenwortelturven, of bemoste stukken schors en klapperbast, die aan de bovenrand van het afdak opgehangen waren.

Ik vind Non in haar pendoppo, bezig een plant die zij 's ochtends vroeg op de pasar van een betrouwbare kweker heeft gekocht 'klaar te maken', zoals zij het noemt. Dee, die geen interesse heeft voor dit werk, is in de tuin blijven schommelen.

'Kijk, Toet,' zegt Non (die Indische koosnaam is voor mij, sinds zij weet dat ik van haar orchideeën houd), en zij laat mij zien dat er zich juist een nieuwe stengel ontwikkelt, en hoe daaronder ook al fijne wortels beginnen uit te botten. Zij hecht de plant met een U-vormig krammetje vast op een langwerpige zwarte plak varenturf, en vertelt me dat dit een larat is, die aan de straks volwassen stengel een tros van wel zes, acht of nog meer bloemen zal dragen, nu eens niet in de kleuren purper-roze en fluwelig donkerrood, maar sneeuwwit, met een zachtgroene keel.

'De albino, die is heel zeldzaam, en heel duur ook!'

En ze noemt er de naam bij, 'hololeuca'.

'Mooier dan lelies!'

Het is voor het eerst dat ze een witte larat heeft kunnen bemachtigen. Nu vertrouwt ze me ook toe dat ze eindelijk zal kunnen proberen wat zij al zo lang hoopt te doen: die witte soort kruisen met een andere, zij weet al welke, die ik ook zo prachtig vind, de geel en donkerbruin gevlekte tijgerorchidee.

'Blank en bruin, Toet! Boleh tjampoer, toch?'

Zij houdt haar hoofd schuin en kijkt me aan, met een zweem van een glimlach in haar blik, terwijl zij een uit het schuifspeldje losgeraakte lok van haar steile halflange zwarte haar achter haar oor strijkt.

Niet alleen orchideeën vormden een band tussen Non en mij. En dat andere was sterker, en tegelijk vreemder dan gedeelde liefde voor bloemen. Ik wist wel dat Non dingen kon zien en horen die voor andere mensen verborgen bleven. De bedienden spraken erover, als mevrouw Mijers niet in de buurt was, maar lieten tegenover Dee en mij niets los. Non ontweek al onze vragen over dat raadselachtige vermogen. Haar dagelijkse doen en laten en haar onopvallende verschijning waren ons zo vertrouwd dat we die bijzondere eigenschap, waar we nooit iets van gemerkt hadden, op de koop toe namen.

Dee en ik logeerden vaak bij elkaar, vooral in de eerste jaren van onze middelbareschooltijd, toen we nooit uitgepraat raakten over onze lessen, leraren en klasgenoten. Wij kregen vrijwel tegelijkertijd onze eerste menstruatie, en daardoor ook het gevoel recht te hebben op een eigen leven, eigen geheimen, een domein waar volwassenen niets te zoeken hadden. Ons gegiechel en geklets tot diep in de nacht brachten zowel mijn ouders als mevrouw Mijers ertoe als voorwaarde te stellen dat de gast in de logeerkamer zou slapen. Bij mevrouw Mijers was het paviljoen ingericht als gastenverblijf, een replica in het klein van het grote huis, met eigen voor- en achtergalerij. Ik voelde me wel vereerd, in die ruime kamer, en het tweepersoonsklamboebed, maar als ik wakker lag en buiten in de tuin de nachtgeluiden van dieren en insecten en het ruisen van de hoge bomen hoorde (vooral het ritselen en kraken in de reusachtige waringin aan het einde van het doodlopende pad naast het achtererf), overviel me soms een onverklaarbare angst, alsof ik binnengezogen werd in een leegte.

Eens, op zo'n nacht, kon ik het in bed niet uithouden. Ik rende naar buiten, langs de overdekte gaanderij tussen het paviljoen en het hoofdgebouw. Toen zag ik dat er iemand door de tuin liep, een in het wit geklede gedaante, die plotseling tot mist oploste in de heg bij de waringin. Op hetzelfde ogenblik kwam Non tevoorschijn uit haar slaapkamer, die aan het erf grensde. Zij keek naar mij en drukte een vinger tegen haar lippen. Hoe lang wij zo stonden, weet ik niet. Later hield Non mij vast en wreef mijn ijskoude handen en voeten.

'Jij hebt de hadji gezien, Toet!'

Zij leek niet verbaasd, eerder voldaan, alsof het ging om iets waar ze op gewacht had. Natuurlijk wist ik dat bij de waringin een rechtopstaande smalle steen

hoefte zich baan om eindelijk te doen wat ik nooit gekund heb: mijzelf definiëren, klaarheid scheppen waar het de cruciale ogenblikken in mijn leven betreft?

Een briefje van Moorland. Hij bedankt me voor het lijstje met een aantal feiten en data betreffende Dee. Hij noemt het 'wel erg beknopt', en dat is het natuurlijk ook. Ik kan hem onmogelijk sturen wat ik dezer dagen voor mezelf opschrijf. Maar hij wil nog wat persoonlijke gegevens hebben, ditmaal over de jeugdjaren van mij en Taco, omdat wij allebei in Batavia Dee gekend hebben.

Waar eindigde de jeugd van mensen uit onze generatie, in onze omstandigheden?

Taco Tadema, geboren in 1918, Bandoeng.

Batavia 1937: eindexamen gymnasium, daarna student rechten aan de Leidse universiteit.

Eind 1939 in verband met de internationale toestand (de Tweede Wereldoorlog was al begonnen) op dringend verzoek van zijn ouders terug naar Indië, voortzetting studie aan Rechtshogeschool Batavia.

Tijdens de Japanse bezetting 1942-1945 geïnterneerd en als dwangarbeider tewerkgesteld aan de Birma-spoorweg.

1945: na herstel van gezondheid studie geschiedenis in Amsterdam.

1949: doctoraal examen.

Wat mij betreft: tot en met III-gymnasium klasgenote van Dee Mijers, die daarna overstapte naar de 3-jarige hbs (bijzonderheden vindt Moorland op het lijstje over haar).

1939: eindexamen. In hetzelfde jaar naar Nederland, twijfel over studiekeuze. Kunstacademie? Decoratieve vormgeving? Tijdens de Duitse bezetting (1940-1945) in Overijssel bij grootouders van moederskant, in het huis waar ik nu woon.

Van 1945 tot 1949 studie kunstgeschiedenis in Amsterdam en Parijs.

1950: doctoraal examen.

In dat jaar zijn Taco en ik ook getrouwd. Daarna hebben we ieder op ons eigen terrein gewerkt, in wetenschappelijk onderzoek, als docent, publicist.

Ik heb Non in Indonesië opgezocht in 1952 en 1967. Dee zag ik nog een keer in 1952 in Jakarta, en een keer in 1964 in Parijs, waar Taco haar toevallig tegen het lijf liep toen wij daar een paar dagen doorbrachten.

Iets in deze geest kan ik Moorland sturen. Maar wat heeft hij daaraan? Vallen die gegevens over Taco en mij niet buiten zijn onderzoek naar 'Mila Wychinska'? Eigenlijk zou hij juist veel meer moeten weten.

Steeds vraag ik me af waarom ik hieraan begonnen ben. Ik had toch makkelijk kunnen weigeren? Dat ik het niet gedaan heb, bewijst misschien dat ik eraantoe ben orde op zaken te stellen. Ik doe dat immers al met betrekking tot deze laatste fase van mijn leven. Binnenkort verwacht ik bericht dat Het Hoge Bos twee kamers voor me heeft. Vooruitlopend op die verhuizing ben ik bezig met opruimen. Driekwart van mijn boekenbezit heb ik apart gezet voor verkoop, en de paar meubels uitgezocht die ik wil meenemen. De rest moet weg. Op dezelfde manier zou ik schoon schip willen maken met mijn herinneringen.

Dee, Non, Taco... die trits is bepalend voor me geweest. Ik kan niet aan vroeger denken zonder hen er alledrie bij te betrekken. In mijn verhouding tot hen ligt het antwoord op vragen die ik al zo lang uit de weg ga.

Mooi herfstweer vandaag. Voor het eerst sinds weken ben ik weer eens naar de pondok gewandeld. In de zon is het warm op het smalle voorgalerijtje. De bomen zijn al gedeeltelijk ontbladerd, ik kan door het netwerk van takken heen in de verte mijn huis zien liggen.

Wat was ik naïef vijfentwintig jaar geleden, om te geloven dat ik Taco zijn levenslust zou kunnen teruggeven door in onze achtertuin deze hut te laten neerzetten. Dacht ik dat hij in die verkleinde kopie van een vakantiehuisje tussen de bergen van de Preanger zijn rampzalige reis naar de Banda-eilanden en

de gijzeling op de Filippijnen zou verwerken, vergeten? Op krukken kon hij met moeite de paar honderd meter tussen onze achterdeur en de pondok af-
leggen. De eerste tijd zat hij daar alleen maar zwijgend voor zich uit te staren. Dat ik hem niet helpen
kon, maakte me wanhopig. Waar was hij met zijn
gedachten, wat zag hij, wanneer hij zijn blik zo onbeweeglijk gericht hield op het dichte zomergroen?
Het andere, veel dichter en donkerder groen van het
oerwoud, die ondoordringbare muur van vegetatie
rondom de kooi waarin zijn ontvoerders hem na een
mislukte vluchtpoging opgesloten hielden? Of haalde hij zich weer de beelden voor de geest die hem
toen, daar, innerlijk gesterkt en zo in leven gehouden hebben: de azuurblauwe en turkooiskleurige
Bandazee, de liefelijke eilanden met hun stranden
van koraalzand, de resten van historische forten, die
hij gevonden had, sporen van de eerste VOC-vesti-
gingen?

Op den duur leek het hem beter te gaan, werd de
pondok bij goed weer zelfs de plek waar hij bij voorkeur de dag, en soms ook de nacht, doorbracht. Op
deze tafel hier lagen immers zijn boeken en mappen,
en had hij zijn schrijfmachine binnen handbereik.
Ik beschouwde het als een bewijs dat hij weer begon
te werken aan zijn 'Laurens Reael'. Veel later pas is
het tot me doorgedrongen dat hij het plan voor die
biografie had opgegeven. Toen hij zijn papieren niet

meer aanraakte, heb ik die, met zijn goedvinden, in mijn ebbenhouten kist gelegd. Van al de dingen waar ik nu niet bij kan komen, is dat manuscript het meest waardevolle.

Voor zijn boek had Taco de titel *Bloei wekt nijd* gekozen, Reaels wapenspreuk: 'Invidia florenti inferta'. In mijn kist ligt de reproductie van een portret dat een onbekend gebleven schilder gemaakt heeft van deze derde gouverneur-generaal in dienst van de VOC, 1615-1619, doctor in de rechtswetenschap, erudiet, amateur-wiskundige en astronoom. Een intelligent gezicht, een zweem van een lach om zijn mond en in zijn donkere ogen. Geen koopman, sober gekleed, maar wel met kostbare kanten manchetten, en 'het rapier op syde'. Taco heeft alle gegevens betreffende de periode van Reaels bewind in de Molukken nagenoeg volledig in kaart gebracht. Hij was ervan overtuigd dat daarachter beslissende problemen van besluitvorming en individuele stellingname schuilgingen, verzwegen wrijvingen met de Heren van de VOC, die Reael te mild vonden jegens de inlandse bevolking en de buitenlandse concurrenten, te humanistisch-filosofisch, te 'slap' voor die post op dat ogenblik. Reael was een voorstander van onderhandelen, en van consideratie met de opvattingen en de gebruiken van de volken met welke hij te maken had. Nauwelijks een jaar na zijn benoeming vroeg

hij ontslag aan. Dat werd hem onmiddellijk ver-
leend, maar pas in 1619 kon hij het bestuur daad-
werkelijk overdragen aan degene die hij had aanbevolen, de directeur-generaal van de handel in Bantam, Jan Pietersz. Coen. Waarom stond een tactvol
bestuurder als Reael zijn functie af aan die onverbid-
delijke man-van-de-harde-lijn?

Reael werd de onzichtbaar aanwezige in ons huis.
Wij spraken over hem als over iemand die we persoonlijk gekend, maar uit het oog verloren hadden,
en wiens doen en laten we in ons eigen belang moesten achterhalen. School er waarheid in de bewering
van Reaels grote vriend P.C. Hooft dat het volgens
velen gevaarlijk zou zijn aan een man van die be-
kwaamheid zoveel gezag toe te vertrouwen, omdat
hij dan zonder moeite alle bewindvoerders van de
VOC zou kunnen overvleugelen? Hij had in een re-
cordtijd carrière gemaakt, als ik het me goed herinner is hij binnen vier jaar van juridisch adviseur gouverneur-generaal geworden. We vroegen ons af wat
er gestaan kon hebben in zijn Raadgevingen voor hen die
zich naar Indië begeven, een boekje dat helaas niet bewaard gebleven is. Barlaeus, een andere goede vriend,
maakt ergens melding van een door Reael tijdens
zijn verblijf in de Molukken geschreven 'Nobel Hel-
dendicht' (misschien over waardigheid en moed van
inheemse leiders en krijgers?), dat ook verloren is ge-

gaan. En, het meest intrigerend: in hoeverre zouden bepaalde zaken zich anders ontwikkeld hebben als de eerste contacten van de VOC op de specerijeilanden gelegd waren door een landvoogd met Reaels instelling? Taco vond het veelzeggend dat tal van briefwisselingen en officiële documenten over deze periode weggeraakt zijn. Veel bleef in het duister.

Was Reael inderdaad de raadgever achter de schermen toen Coen in 1619 Batavia stichtte? Bood hij zijn ontslag als gouverneur-generaal aan omdat een door hem bevolen expeditie naar de Spaanse Filippijnen na een bloedige zeeslag bij Manila mislukt was? Of omdat de opdracht van de VOC om een gedeelte van de oogst van de lokale bevolking te vernietigen met het oog op ongewenste verkoop aan concurrenten voor hem niet te verteren was?

Taco kwam met zijn onderzoek naar Reaels verblijf in de Molukken maar tot een bepaald punt. De frustratie daarover was des te moeilijker te verdragen omdat hij niet meer over voldoende mobiliteit en energie beschikte om de tijdens zijn reis naar Ternate en de Banda-eilanden bij hem opgekomen veronderstellingen op waarheid te toetsen.

In de eerste tijd na zijn terugkeer vertelde hij mij nog wel eens iets. Ik wist van de vele verlaten en tot puin vervallen eeuwenoude forten die hij aangetroffen had op Bandaneira, Banda Besar, Pulau Ai en Pulau Pisang. Op Ternate had hij de Benteng Oranje bezocht, waar Reael gewoond had als gouverneur van de Molukken. Die ruïne was nog steeds indrukwekkend door de ligging en uitgestrektheid van de wallen en bastions. Taco's tas, met zijn Leica en de vele foto's die hij gemaakt had, ging verloren toen hij tijdens een boottocht in de wateren benoorden Morotai ontvoerd werd door lieden die hij voor zeerovers hield. Later begreep hij dat het Filippijnse moslimrebellen waren, die westerse toeristen buit maakten om losgeld te kunnen eisen. Ook heeft hij heel lang niet geweten dat hij zich op een van de kleine Sulu-eilanden bevond, onder Mindanao.

Het verlies van zijn aantekeningen en beeldmateriaal bleef hem kwellen. Hij wilde niet meer herinnerd worden aan dat ongewenste avontuur. Daarom spraken wij er nooit over.

Flarden van zinnen die Taco mompelde, in de laatste dagen van zijn leven. Hij was toen al niet meer helemaal bij bewustzijn. Soms leek hij iemand te verdedigen, die hem eerst in de val gelokt, maar later juist weer verlost had, uit een ondraaglijke kwelling. Ik begreep dat hij de kooi bedoelde, dat marteltuig, zo laag en krap dat hij er alleen in kon hurken of knielen, en naar alle kanten open voor wind en regen en ongedierte. In die dagen drong het tot me door hoeveel doorstane ellende hij voor mij verzwegen heeft. Stervend onderging hij nog eens, weerloos, de mishandelingen en vernederingen die ik raden kon uit zijn kreunen, de manier waarop hij ineenkromp en zijn hoofd probeerde te beschermen.

Ze hebben me destijds verteld dat hij en andere gegijzelden hun bevrijding te danken hadden aan de lokale bevolking, die het Filippijnse leger op het spoor van het rebellenkamp had gezet.

Wie de persoon was tegen wie zijn beurtelings verwijtende, woedende en smekende, maar altijd onsamenhangende en maar half verstaanbare uitbarstingen gericht waren, kon ik niet achterhalen. Nooit noemde hij een naam.

Toen Taco terugkwam uit Birma, in 1945, hebben de artsen hem verteld dat hij waarschijnlijk geen kinderen zou kunnen verwekken als gevolg van inwendige kwetsuren en infecties die hij in de oerwoudkampementen opgelopen had. Dit huis dat ik van mijn grootouders geërfd heb, zou nooit een gezin herbergen. In de periode toen wij beiden voor ons werk vaak in de Randstad of in het buitenland waren, hebben wij het verhuurd. Pas na 1960 konden wij er werkelijk wonen. Voor mensen zoals wij is het altijd een ideale verblijfplaats geweest. Ieder zijn eigen grote studeerkamer en bovendien ruimte voor een gezamenlijke bibliotheek. Wij waren zo gelukkig als we in onze omstandigheden maar konden zijn. Ik heb altijd gedacht dat we gelukkig waren.

De beloften van onze jeugdjaren in Indië zijn niet in vervulling gegaan. Door oorlog en bezetting is ons iets essentieels ontnomen. Maar deelden wij dat lot niet met talloze jonge mensen van onze generatie? Taco had het leven behouden.

Mevrouw Mijers was niet groot, en mollig zonder dik te zijn, met een soepele manier van bewegen, die telkens weer opviel, bijvoorbeeld wanneer zij in de knieën doorzakte om iets op te rapen (bukken vond zij niet netjes voor een vrouw) of om een dier te aaien. Oosters waren haar grote donkere ogen, en de tint van haar huid, tussen blank en bruin, 'café crème', of volgens de Javanen 'koelit langsep', de voorname kleur van de doekoe-vrucht.

Zij was het toonbeeld van de dame in de klassieke betekenis van dat woord. In haar gedrag en uiterlijke verschijning hield zij consequent vast aan de stijl en de *convenances* van de negentiende eeuw. Buiten haar slaapkamer vertoonde zij zich nooit anders dan 'gekleed', het haar zorgvuldig gekapt, een dunne laag poeder op haar gezicht. Zelfs bij het warmste weer droeg zij kousen en gesloten schoenen. Mij fascineerden vooral de vele smalle gouden armbanden die ik door de lange mouwen van haar voile japonnen heen zag blinken, en die bij ieder gebaar met een zacht klikkend geluid tegen elkaar schoven. Ontving zij gasten of ging zij visites maken, dan verscheen zij in een stemmig toilet, onopvallend van kleur en snit, maar wel had zij kostbare diamanten in haar oren en aan haar vingers.

Mijn moeder liep in de vroege ochtenduren altijd in kimono, met haar sleutelmand aan de arm, langs de bijgebouwen om voorraden uit te geven, met de kokkie te overleggen en de dagelijkse bezigheden van de huisjongen en de baboes te regelen. Het was meestal een gemoedelijk gebeuren, daar bij de keuken, of op het plat naast de put waar de was gedaan werd. Mevrouw Mijers daarentegen zetelde op een vaste plek in haar achtergalerij. Haar stoel stond dan zo dat zij kon genieten van het uitzicht op de tuin in morgenglans, waar dauw nog schitterde tussen grashalmen en bladeren. De bedienden kwamen een voor een, in volgorde van rang, hun orders halen. Dit feodale ritueel nam veel tijd in beslag. Het ging gepaard met ondervragingen en reprimandes. Mevrouw Mijers deed dat zonder stemverheffing, maar op een toon die geen tegenspraak duldde, en met die speciale manier van kijken van haar, die zowel gebiedend als terughoudend was.

Tegelijkertijd had zij veel zorg voor haar bedienden, over wie zij alles wist. Sommigen van hen waren kinderen van mensen die vroeger op Pakembangan gewerkt hadden. Met haar vertrouwelinge onder de baboes had zij als klein meisje gespeeld. Dee opperde eens dat die Moenah waarschijnlijk ook een kind van de oude Lamornie de Pourthié was.

In de binnengalerij hing een portret van mevrouw Mijers als achttienjarige, ten voeten uit geschilderd aan de vooravond van haar huwelijk met de luitenant-ter-zee eerste klasse Johannes Mijers. Ik heb het zo vaak en zo aandachtig bekeken dat ik het voor me zie. Zij draagt een witte japon met een bescheiden decolleté en kopmouwen. Niets leidt de aandacht af van haar zelfbewuste blik, haar fier geheven hoofd, bekroond door een bolvormige haarwrong. Zij houdt een waaier in de ene, een kanten zakdoek in de andere hand. Daar staat de ideale bruid voor een man die hoopt eens een functie te vervullen aan het Buitenzorgse Hof. Volgens mevrouw Mijers was er een dergelijk staatsieportret van haar zuster op Pakembangan. Ik weet dat zij jarenlang moeite gedaan heeft het in haar bezit te krijgen, maar na de onverkwikkelijkheden in verband met de dood van Louise had zij elk contact met de bewoners van de onderneming verbroken. Non ging soms naar Pakembangan, zij het nooit naar het landhuis zelf, en alleen om in de bijgebouwen oude employés van haar grootouders op te zoeken. Later heb ik begrepen dat zij deze mensen als familieleden beschouwde. Waarschijnlijk waren zij dat ook.

In al de jaren toen ik bijna dagelijks bij mevrouw Mijers aan huis kwam, heb ik haar geen enkele maal horen zinspelen op het feit dat zij en haar familie 'Indisch' waren. Wel viel het me telkens weer op dat zij voor kantoorklerken, winkelpersoneel, en jongelui van het soort dat 's middags omstreeks theetijd luidruchtig op motorfietsen door de lanen van Weltevreden scheurde, vaak de kwalificatie 'Indo' gebruikte, een woord dat mij door mijn ouders verboden was omdat het als een belediging gold. Ook Louis kon zich neerbuigend uitlaten over 'sinjo's' en 'katjangs', met een nadruk die me soms gespeeld leek, half vertoon van superioriteit, half zelfspot. Hem ontbrak de vanzelfsprekende allure van mevrouw Mijers, wier houding ik op den duur leerde begrijpen als een uiting van standsbesef, een instinctief markeren van beschavingsnormen die haar met de paplepel ingegoten waren. Als dochters van een Lamornie de Pourthié hadden zij en Louise een zorgvuldige Europese opvoeding gekregen, met twee jaar 'finishing school' in Lausanne. Mijn moeder, die haar meemaakte in het Bataviase verenigingsleven voor dames, liet zich altijd vol bewondering uit over de kennis van zaken, de tact en de goede smaak waarmee mevrouw Mijers zich inzette voor catering en versiering bij fancyfairs, en talloze andere, meestal liefdadige activiteiten. Een betere gastvrouw bestond er niet.

Het verschil in stijl tussen moeder en zoon bleek vooral uit hun toon en gedrag tegenover inlanders.

Mevrouw Mijers legde steeds een intense betrokkenheid aan de dag bij het wel en wee van haar bedienden. Die hadden een bijkans heilig ontzag voor haar, en kenden haar in al hun zorgen en problemen. Marktkooplui, delemankoetsiers en andere mensen uit het volk behandelde zij zakelijk, maar met inachtneming van de adat, op een heel eigen, niet onvriendelijke no-nonsensemanier, die onmiddellijk respect afdwong. Louis veroorloofde zich gesnauw en commando's waar de arrogantie van sommige Nederlandse totoks bij verbleekte.

Dat mevrouw Mijers een Indische was, bleek uit allerlei gewoonten en handelingen die als de motieven van een grondpatroon steeds terugkeerden in het weefsel van haar bestaan. Om de zoveel tijd kreeg zij bezoek van 'haar' klontong en van een speciale handelaar in batik. Zij wilde geen straatverkopers over de vloer. In de achtergalerij werden de waren uitgestald. Als wij de kans kregen, waren Dee en ik erbij, om het door boeddhistische nonnen vervaardigde kant- en borduurwerk te bewonderen dat de Chinees toonde, of om mevrouw Mijers met de Javaan te horen discussiëren over de kwaliteit (en de prijs) van de kaïns die hij voor haar ontvouwde. Zij was buitengewoon strikt in haar oordeel en keuze, wilde uitsluitend de met hete was op het doek getekende en in verfbaden van de klassieke kleuren indigo en oker gedompelde, echte batik tulis hebben, en wees de soms haast even mooie bonte en fantasierijke lappen batik tjap af. Non zei dat deze aankopen allemaal geschenken waren: de batik voor Indonesische bekenden op hun feestdagen, het Chinese handwerk voor Europese relaties.

Even typerend waren mevrouw Mijers' contacten met een stokoude masseuse, die haar sinds het begin van haar huwelijk behandeld had voor spier- en zenuwpijnen, en met een deskundige op kruidengebied, bij wie zij obat bestelde voor zichzelf en haar bedienden. De onderhandelingen met de klontong en de batikverkoper speelden zich altijd af in de achtergalerij, maar de kruidenvrouw en de masseuse werden ontvangen in de slaapkamer, waar behalve Moenah nooit iemand mocht komen.

Ook Non raadpleegde van tijd tot tijd de leverancierster van 'djamoes', maar – zoals ze zei – minder om drankjes of smeersels te krijgen dan om informatie in te winnen over bepaalde plantensoorten.

Een voor mij onbegrijpelijke kant van mevrouw Mijers' persoonlijkheid betrof haar verhouding tot Non. Ik vond het vaak pijnlijk om te zien hoe Non zich onhoorbaar op haar slofjes door het huis bewoog, als iemand die er eigenlijk niet thuishoorde, of zwijgend de sepèn assisteerde bij het tafeldienen wanneer mevrouw Mijers een van haar lunches voor Bataviase dames gaf. Toch was er tussen moeder en dochter ook sprake van een onderhuidse verstand-houding, een instinctieve gelijkgerichtheid. Dee ver-telde me iets wat ik nooit zelf gezien heb, en dat ook zij alleen maar stiekem had waargenomen: hoe van tijd tot tijd mevrouw Mijers en Non, 's avonds in de pendoppo, buiten het gezicht van de bijgebouwen, samen zaten te snoepen van lekkernijen die Non op straat bij een warong gehaald had. Non bracht bo-vendien steeds verslag uit na een bezoek aan Pakem-bangan. Dan werd er urenlang halfluid gedelibe-reerd, maar hoe Dee zich ook inspande om het be-sprokene te verstaan, wanneer zij erin geslaagd was via een omweg door de tuin vanachter een struik haar grootmoeder en tante te bespieden, nooit werd ze wijzer van de gedeeltelijk opgevangen verhalen over mensen die ze niet kende, en over dingen die gebeurd waren voor zij geboren werd.

Wij wisten dat het te maken had met de 'perkara'. In de loop der jaren was daarvan in flarden en brok-stukken wel een en ander tot ons doorgedrongen. Non liet een enkele maal iets los in antwoord op onze vragen over Pakembangan, dat zij en mevrouw Mijers immers als familiebezit beschouwden, ook al woonde daar nu hun vijand, de vroegere echtgenoot van mevrouw Mijers' zuster, met zijn tweede vrouw en een zoon die ongeveer even oud was als Dee en ik. Ik hoorde mijn ouders over deze dingen praten, samen, en met Louis wanneer die weer eens in Batavia was. In tegenstelling tot mevrouw Mijers en Non deden zij niet geheimzinnig, en dempten hun stemmen niet, ook al zat ik binnen gehoorsafstand.

Toen mijn vader Louis leerde kennen, in 1918, aan boord van het ss Vondel, was hij onder de indruk van diens optreden als man van de wereld. Mijn vader voelde zich naar eigen zeggen een 'broekje' vergeleken bij die leeftijdgenoot in Engelse maatpakken, met zijn vlotte nonchalante manieren, en evidente levenservaring. Om hem hing de aureool van de schatrijke Indische grootgrondbezitter. Hij stond geboekt als Lamornie de Pourthié Mijers. Mijn vader was geen snob, wist ook nog niets van Indië. Hij was verrast en getroffen door het vanzelfsprekende gemak waarmee Louis hem, de 'baar', onder zijn hoede nam en wegwijs wilde maken in de koloniale maatschappij. Zij speelden samen kaart en biljart in de rooksalon en legden al pratend vele kilometers af op het wandeldek.

Toen het schip in Priok aankwam, was de vriendschap beklonken. Al in de eerste week van zijn verblijf verhuisde mijn vader van het naargeestige vrijgezellenpension waarin hij door bemiddeling van het gouvernementskantoor was ondergebracht, naar het logeerpaviljoen bij mevrouw Mijers. Daar was hij getuige van een drama.

Louis wist al sinds enige tijd dat zijn peettante op Pakembangan overleden was. Aan boord had hij mijn vader verteld van zijn plannen met het landgoed, in de veronderstelling dat de weduwnaar wel zou repatriëren. Maar bij zijn thuiskomst kreeg hij te horen dat de man die zijn tante het leven zuur gemaakt had, zich als gevolg van onduidelijkheden in de testamentaire beschikkingen van de oude Lamornie de Pourthié beschouwde als de rechtmatige erfgenaam van Louises aandeel in het familiebezit. Hij was tot algemene verontwaardiging vrijwel onmiddellijk na de begrafenis hertrouwd, en stond nu op het punt vader te worden. Hij dacht er niet over de onderneming die hij gedurende zoveel jaren zelfstandig beheerd had te verlaten.

Onder het wereldse vernis werd plotseling een andere Louis zichtbaar. Hij was krankzinnig van woede, in staat om op staande voet, gewapend met zijn jachtgeweer, de usurpator uit Pakembangan te gaan verdrijven, en hem bij tegenstand als een dolle hond neer te schieten. Mevrouw Mijers die advocaten geraadpleegd had, en wist dat Louis eigenlijk geen aanspraken meer kon laten gelden (zelf had zij zich, toen haar vader nog leefde, laten 'uitkopen'), bezwoer hem op haar knieën, zoals Non zich herinnerde, het schandaal niet te vergroten en door een onherroepelijke daad zijn eigen leven te verwoesten.

Sindsdien waren er ernstige bezwaren van heel andere aard gerezen tegen de nieuwe eigenaar van Pakembangan. Dat waren de dingen die voor Dee en mij verborgen werden gehouden.

Wij begrepen niet waarom Louis, na zoveel jaren, in zijn gesprekken met mijn ouders steeds bleef hameren op de noodzaak bewijzen in handen te krijgen van iets wat 'die schoft' gedaan had. Zelfs verjaard zou dat volgens hem, wanneer het aan het licht kwam, ertoe leiden dat Pakembangan weer beschikbaar werd voor een nazaat van de Muntinghs. Dat mijn vader dit keer op keer betwijfelde en waarschuwde voor de risico's verbonden aan zijns inziens onvoorzichtige acties, veroorzaakte tenslotte een merkbare verwijdering tussen hem en Louis. Op afstand (ik lag al in bed) hoorde ik eens een heftige woordenwisseling, waarin Louis mijn vader beschuldigde van een discriminerend oordeel, en hem verweet als totok natuurlijk toch weer niets te begrijpen van Indische toestanden.

De omgang tussen Louis Mijers en mijn ouders was er een zonder drukkende wederzijdse verplichtingen. Toen ik nog klein was, liep hij bij ons in en uit, zoals ik later wel begrepen heb vooral om te ontkomen aan de niet-aflatende bezorgdheid en raadgevingen van zijn moeder, die hem aan het werk wilde hebben. Hij doorkruiste Java in zijn Studebaker, bleef weken achter elkaar van huis, te gast bij nu eens

45

deze, dan weer die van zijn talloze kennissen. Op weekendtochten in de omgeving van Batavia of door de Preanger nam hij, behalve Dee, vaak mij en mijn ouders mee. Als we 'naar boven' gingen, logeerden we dan van zaterdag op zondag in een van de berghotels met een zekere luxe, dat wilde hij nu eenmaal. Ik ben er zeker van dat hij ons op die uitstapjes trakteerde. Dee en ik genoten van de zwembaden, en van het feit dat wij een paviljoen voor ons apart hadden, met eigen badkamer, en een terras waar we het ontbijt en de middagthee geserveerd kregen alsof we volwassenen waren.

Later, terugkijkend op die schijnbaar zo probleemloze verhouding tussen ons en de familie Mijers, herinnerde ik mij wel dingen die me als kind ontgaan zijn, omdat ze pas begrijpelijk werden tegen de achtergrond van bepaalde gebeurtenissen in 1919. Dat het royale gedrag van Louis, die met mijn moeder had willen trouwen, maar haar 'verloren' had toen zij verliefd werd op mijn vader, nog steeds een vorm van hofmakerij was, moet de oorzaak geweest zijn van heel wat onderhuidse spanningen en min of meer troebele situaties.

Een flard van een toevallig opgevangen gesprek tussen mijn ouders is altijd in mijn geheugen blijven hangen. Zij hadden het over Louis, die niets uitvoerde.

'Hij hoeft niet, hij heeft geld genoeg,' zei mijn moeder.

Daarna mijn vader: 'Een ontzettend aardige kerel, maar een non-valeur. Jammer, want hij is heel pienter.'

'Soms een tikje pienter boesoek, wil je zeggen?' vulde mijn moeder aan.

Zij begonnen tegelijk te lachen, hun lach van verstandhouding.

Mijn ouders golden alom als het toonbeeld van een 'goed gepaard' huwelijk. Mijn kalme vader, onkreukbaar en plichtsgetrouw, levenslang jongensachtig in zijn openheid en zijn naïeve geloof in vooruitgang, heeft destijds de ideale partner gevonden in dat jonge meisje uit Batavia, volbloed Nederlandse, sinds haar tiende jaar in Indië, vertrouwd met alle zeden en gebruiken in de toplaag van de koloniale maatschappij, onbevangen zelfbewust in haar omgang met iedere landaard, als vanzelfsprekend thuis in de tropen. Wat is het essentiële verschil tussen haar en mij, die toch voor een groot deel door dezelfde kenmerken bepaald word? Hoewel zij duidelijk anders was dan de 'totok'-dames met wie we omgingen, miste ik bij mijn moeder iets wat ik in Dee en Non en mevrouw Mijers juist als verwant voelde.

Mijn ouders namen mij ieder jaar voor een korte vakantie mee naar een pasanggrahan op de helling van de tweelingvulkaan Gedeh-Panggrango, om van daaruit te voet de watervallen van Tjibeureum te bezoeken. Voor hen was dat een bedevaart ter herinnering aan de eerste dagen van hun huwelijk. In mijn ebbenhouten kist ligt het album met foto's die zij toen, in december 1919, van elkaar gemaakt hebben. Mijn moeder tussen de waaiers van de boomvarens, mijn vader op een rotsblok, nu eens de een, dan weer de ander poserend tegen de achtergrond van het berglandschap, of als nietige menselijke gestalte opdoemend uit de vegetatie van het oerwoud. Zij beiden naar elkaar toegekeerd, in silhouet, want nog in de schaduw van het bos, scherp afgetekend tegen een hel vlak van neerstortend water (zij moeten een zelfontspanner gebruikt hebben). Het onderschrift bij die foto verraadt dichterlijk talent van mijn vader, de enige ooit aan het licht gekomen uiting van dien aard van hem, die mijn moeder en ik te pas en te onpas plagend declameerden en ook graag in sinterklaasverzen verwerkten. Ik merk dat ik die fraaie volzin nog altijd uit mijn hoofd ken:

'Het dichte bladerdak wijkt uiteen, en in een zee van glans valt met dof gedreun en klaterend spatten een reuzenstraal van vloeiend blinkend zilver wel meer dan honderd meter over den steilen rotswand omlaag.'

Zo was het ook, ik heb het telkens weer met eigen ogen gezien, wanneer we na twee uur lopen over een tamelijk steil pad – gedurende het laatste stuk begeleid door aanzwellend ruisen – plotseling vanuit de groene schemering de open plek bereikten waar een flonkerende wolk van verstuivende druppels ons tegemoet woei.

Meestal klommen wij na een rustpauze verder naar de Hete Bronnen, en bij helder weer nog hoger, door een woud van lage, met mos beklede bomen, naar het rotsachtige kraterveld van de Gedeh, meer dan tweeduizend meter boven de zeespiegel.

Mijn ouders hadden dat ook gedaan op die eerste tocht als pasgetrouwd paar. Zij brachten de nacht door in de berghut van Kandang Badak, en zagen de zon opgaan over al het land tussen de Javazee en de Wijnkoopsbaai: de strook vlakte in het noorden en de bergketens van de Preanger tot aan de zuidkust toe. Er bestaat geen grandiozer schouwspel dan die plotselinge ontplooiing van de dageraad in een waaier van vurig licht.

Ik denk dat ik daar, toen, verwekt ben.

Waarom schrijf ik al deze dingen op? Niet voor Bart Moorland, dat heb ik vanaf het begin beseft. Al krijg ik de ebbenhouten kist niet open, ik zie wel kans op basis van mijn herinneringen de belangrijkste gegevens over Dees jeugdjaren in Batavia voor hem op papier te zetten. Daar is het hem immers om te doen. Maar ik heb geen enkele reden om hem in te lichten over de omzwervingen en chaotische activiteiten van

Dee na 1950. Mijn bronnen zijn trouwens niet betrouwbaar. Ook Non was niet van alles op de hoogte, al dacht zij van wel. Vermoedens en veronderstellingen kunnen schade berokkenen aan Dees reputatie (of nagedachtenis?). Ik weet ook niet vanuit welk standpunt Moorland haar benadert in zijn onderzoek.

Nu al is het duidelijk dat feiten en data op zichzelf weinig zeggen. De werkelijke betekenis ligt verborgen in het weefsel van subjectieve, nauwelijks onder woorden te brengen indrukken, in de echo van voorbije gewaarwordingen en stemmingen, en in dat ooit voor mij zo reële, maar nu als een droom verdampte gevoel van symbiose met mijn geboorteland.

Ik ben een product van die laatste, moeilijk te definiëren periode van Nederlands-Indië, de twee decenniën interbellum: ingrijpende, stormachtige ontwikkelingen onder de oppervlakte van een schijnbare orde, die niet opgemerkt of begrepen, of verkeerd ingeschat werden door zowel de inheemse als de Europese belanghebbende elite. Het oude Indië, waarin men ook als Nederlander for better for worse wortel kon schieten, was voorbij, en voor de 'hier-geborenen van zuiver Europese afkomst', zoals dat toen officieel genoemd werd, bestond geen thuisland meer.

Mijn vader en moeder waren ruimdenkende mensen, maar in politiek opzicht niet progressief genoeg om begrip te kunnen opbrengen voor het streven

van de Indonesische nationalisten, hun hartstochte-
lijke verzet tegen de status van wingewest, en de hun
vanuit een totaal anders geaarde cultuur opgelegde
wetten en regels. In theorie vonden mijn ouders de
roep om onafhankelijkheid begrijpelijk en aanvaard-
baar, maar zij waren ervan overtuigd dat die alleen
geleidelijk, en met deskundige hulp van Nederland,
verwezenlijkt zou kunnen worden. Mijn vader droeg
op zijn manier een steentje bij door een paar maal
per week 's avonds in zijn kantoor bijlessen handels-
correspondentie en administratie te geven aan jonge
inlandse werknemers op het departement die hoger-
op wilden. Hij deed dat con amore en zonder een
zweem van zelfingenomenheid, maar hoe naïef was
het eigenlijk, gezien in het licht van wat die mensen
werkelijk voor ogen stond.

Mijn moeder, opgegroeid in Batavia, kende letterlijk iedereen in de stad, was bestuurslid van de Vereniging van Huisvrouwen, en actief in talloze comités voor culturele, educatieve en liefdadige evene-
menten. Zij ging vriendschappelijk om met Europese
en Indo-europese vrouwen van alle rangen en stan-
den, met Soendanese Raden-ajoe en Chinese dames,
en was overal graag gezien vanwege haar opgewekte
vlotte manier van doen. Maar als ik er nu op terug-
kijk, lijkt het me dat zij misschien te gauw tevreden
was met wat in wezen vaak neerkwam op uiterlijk
vertoon van onderlinge verstandhouding en bereid-

willigheid. De werkelijke stemming achter veel vormen van hoffelijk, inschikkelijk gedrag wist zij niet te peilen. Het kwam eenvoudig niet bij haar op te twijfelen aan goede wil en begrip van anderen, waar zijzelf zich naar haar eigen overtuiging toch zo duidelijk inzette voor zaken van algemeen belang. Hoewel haar in geen enkel opzicht de domme totokhoogmoed verweten kon worden, die Dee en ik zo ergerlijk vonden, vervulde haar voortvarende optreden, hoe ontwapenend sympathiek ook, mij wel eens met een gevoel dat ik niet onder woorden kon brengen, een mengsel van verbazing en gêne. Zij reageerde dan niet op de manier die mij gepast, 'haloes' scheen, dat wil zeggen, met consideratie voor de innerlijke gesteldheid, de adat, van wie zij op dat ogenblik voor zich had. Ook al was dat mijn adat niet, ik kon mij er toch voldoende in verplaatsen om me te schamen voor mijn moeders al te rechtstreekse wijze van benadering. Net zo wist ik niet waar ik kijken moest wanneer mijn vader in mijn tegenwoordigheid met zijn vingers knipte om de aandacht te trekken van een inlandse ondergeschikte. Hij deed dat, ik mag wel zeggen, in alle onschuld, zonder de bedoeling neerbuigend te zijn of te beledigen, eenvoudig omdat het een sinds eeuwen ingeburgerde gewoonte van de toeans was, die hij als zoveel andere manieren van doen bij zijn komst in Indië had overgenomen. Op zulke ogenblikken had ik het gevoel

niet te behoren tot dezelfde soort van mensen-in-In-
dië als mijn ouders. Maar tot welke soort behoorde
ik dan wel?

Eigenlijk ben ik opgevoed door het vertrouwde be-
diendepaar van mijn grootouders. Toen die voorgoed
naar Nederland gingen, kwamen Oemar en Idah bij
ons.

Mijn vader had weinig tijd om zich buiten vrije
dagen en vakanties met mij bezig te houden. Volgens
mijn moeder bestond er geen heilzamer invloed op
het leven van een kind dan een ordelijke omgeving
en een opgewekte sfeer in huis. Oemar en Idah zorg-
den voor de noodzakelijke correcties op de toegeef-
lijkheid of onbedoelde nonchalance van mijn ouders.

Oemar was een man van 'afspraak is afspraak' en
stipte plichtsvervulling. Nooit verloor hij zijn waardigheid. Zelfs glimlachen deed hij zelden. Mijn ouders hadden een onbeperkt vertrouwen in zijn vermogen het huishouden te bestieren, in zijn oordeel
over de kwaliteit van leveranciers en hun waren, van
toekangs op elk gebied, en over de verrichtingen van
de andere bedienden. Idah waakte over mijn manieren en mijn uiterlijk. Zij was in dat opzicht veel
strenger dan mijn moeder. Algauw vond zij een rok
te kort, een halsuitsnijding te diep. Zij leerde mij bij
het zitten nooit mijn (blote) benen over elkaar te

slaan of mijn voetzolen te tonen, en om, als ik moest bukken, met een hand de inkijk in jurk of bloes af te sluiten. Er bestonden ontelbare regels voor gepast, respectvol en zedig gedrag tussen mannen en vrouwen. Nooit zouden Oemar en Idah goedvinden dat ik, wanneer mijn ouders niet thuis waren, een jongen van school die langskwam in verband met huiswerk of clubactiviteiten binnenskamers ontving. Ik mocht hem alleen te woord staan in de voortuin of op het 'platje'.

Ook hadden Oemar en Idah mij, sinds ik een klein kind was, ingeprent dat een mens die 'haloes' wil zijn, zijn gedachten en gevoelens voor zich houdt, zich beheerst, ervoor zorgt nooit een ander te kwetsen of op zijn nummer te zetten, dat wil zeggen: beschaamd te maken, gezichtsverlies te berokkenen.

Even onbeschaafd was het iets voor jezelf op te eisen, voorrang te nemen.

Mijn moeder moest wel glimlachen om de manier waarop Idah toezicht hield op mijn maintien, maar zij was toch tevreden omdat ik zo de traditionele Indische omgangsvormen leerde kennen.

Wanneer mijn vader op dienstreis ging, droeg hij aan Oemar de verantwoordelijkheid op voor de veiligheid van mijn moeder en mij, en voor de goede dagelijkse gang van zaken. Gewend aan de rol die Oemar vervuld had in haar eigen ouderlijk huis, aanvaardde mijn moeder dit als vanzelfsprekend, en van de weeromstuit deed ik dat ook.

De enige maal dat ik me – tevergeefs – verzette tegen Oemars gezag, en zo kwaad op hem was dat er bijna een crisis uitbrak binnen ons gezin, deed zich voor op de avond van Taco's verjaardagsfuif in 1936. Taco had zijn rijbewijs en mocht met de Ford van de Tadema's de meisjes naar huis brengen die niet afgehaald werden. Het was volle maan, een nacht van blauwzilveren glans. Taco leverde de aan hem toevertrouwde gasten af op de Oranjeboulevard, Menteng, Goenoeng Sahari. Dee en ik waren de laatsten. Wij hadden met hem afgesproken dat wij drieën nog zouden 'toeren', naar Priok bijvoorbeeld, om de zee bij maanlicht te zien. Ik wilde dit eerst bij mij thuis tegen Oemar zeggen. Mijn ouders waren naar een bruiloft in Buitenzorg en zouden pas de volgende dag terugkomen. Oemar zat op het witgekalkte tuinmuurtje op mij te wachten. Toen ik zei dat ik nog een eind ging rijden met Taco en Dee, verbood hij mij dat. Het was niet gepast, ik moest naar bed. Vanuit de wachtende auto riep Dee me toe dat ik me niet door de djongos hoefde te laten vertellen wat ik wel en niet mocht doen. Taco probeerde het ook

'Loh, Oemar, boleh toch, een uurtje nog, niet langer!'

Maar Oemar was niet te vermurwen. Hij begeleidde me naar binnen, en sloot de voordeur af, zoals mijn vader hem had opgedragen. Ik was razend, ik schreeuwde dat hij me beschaamd maakte, me mijn gezicht liet verliezen tegenover mijn vrienden, dat was kasar van hem, die me nota bene altijd voorhield hoe het hoorde. Aan de manier waarop hij zwijgend naar achteren liep, kon ik zien dat hij diep beledigd was vanwege mijn gebrek aan respect voor hem, de verantwoordelijke.

De volgende dag vertelde Dee mij dat ze Taco had overgehaald om toch nog die rit naar Priok te maken. Terang boelan! Volle maan op zee, het was zo prachtig! En zij had ook nog gezwommen! Taco had op wacht gestaan, om te waarschuwen voor het geval dat er iemand langskwam, zij had immers niets aan!

Zwemmen in het spiegelbeeld van de maan, een lange baan van zilveren rimpelingen zover het oog reikt, daar droomde ik van. Ik benijdde Dee, omdat zij, zoals altijd, had gedaan wat zij wilde.

Dagenlang weigerde ik me tegenover Oemar te verontschuldigen. Ik sprak ook niet tegen hem, en dat maakte Idah bingung. Ze zei zich in ons huis niet langer op haar gemak te voelen. Mijn moeder werd zenuwachtig omdat de goede sfeer verstoord was.

Tenslotte deed ik natuurlijk wat mijn vader van mij eiste. Oemar had immers hem vertegenwoordigd, en niet uit eigen beweging gehandeld. Daarna was alles weer pais en vree.

Woorden van Dee schieten me te binnen. Wanneer zei ze die tegen mij? Dat moet geweest zijn toen wij elkaar voor het eerst na de oorlog weer zagen, in Jakarta, in 1952, en zij mij vertelde dat zij van plan was een Pools paspoort aan te vragen. Het was juist in die tijd dat in Indië geboren Nederlanders indien zij dat wilden Indonesisch staatsburger konden worden. Taco en ik hadden wel eens met die gedachte gespeeld. Destijds zag ik nog niet in dat de keuzemogelijkheid natuurlijk niet gold voor mensen zoals wij. Dee maakte me zonder omwegen duidelijk dat ik niets te kiezen had, nooit warga negara zou kunnen zijn, al wilde ik nog zo graag. Die keuze bestond alleen voor Indo's, en dan was het volgens haar een valstrik. Want het betekende niet dat die, zoals vroeger in Nederlands-Indië, zich een beetje meer konden voelen dan Indonesiërs; eerder zouden zij beschouwd worden als een beetje minder. Als zij de keuze maakten, moesten zij voor honderd procent Indonesiër willen zijn. Non had het gewild, en kon het ook, dat had ik tijdens mijn verblijf in Jakarta met eigen ogen kunnen zien. Zij, Dee, voelde daar niets voor. Toen de Japanners de baas waren, was het haar goed van pas gekomen zich Indo te noemen. Warga negara wilde zij niet zijn, en Nederlander al helemaal niet. Mevrouw Mijers was dood, en van Louis, genaturaliseerd Braziliaan, werd nooit meer iets vernomen. Zij had de vrijheid een eigen identiteit te kiezen. Omdat zij

57

(van het Duits naar het Bahasa Indonesia en vice versa) tolkte voor een groep Polen die op uitnodiging van president Soekarno bij een ontwikkelingsproject betrokken was, kon zij rekenen op steun bij die mensen, die haar als een halve landgenote beschouwden, vanwege de naam van haar moeder. Dee wilde voortaan door het leven gaan als een toevallig in de Nederlandse kolonie geboren Europese van Slavische afkomst.

Het is vreemd dat ik, die zoveel jaren heb doorgebracht met het samenstellen en redigeren van teksten op mijn vakgebied, me telkens weer geremd voel bij het onder woorden brengen van de persoonlijke herinneringen die maar blijven opwellen. Formuleren was vroeger nooit een probleem voor me, ik genoot van het bezig zijn met taal, het vormgeven van een betoog. Maar een dagboek heb ik nooit bijgehouden. Als ik overlees wat ik tot nu toe naar aanleiding van Moorlands verzoek voor mezelf op papier heb gezet, voel ik me onzeker. Kan ik werkelijk vertrouwen op mijn geheugen?

Hier voor me, op de plank boven mijn bureau, zie ik mijn publicaties: een paar monografieën, verder een aantal delen uit een kunsthistorische reeks, en de twee boeken die ik geschreven heb op basis van het materiaal waar ik op gepromoveerd ben: het ene over de Keltische en Oudscandinavische vlechtwerkornamentiek, het andere over oosterse invloeden in de decoratieve kunst van barok en rococo. Mijn fascinatie voor de stilering van Javaanse batikmotieven en Chinees borduurwerk, gewekt op de achtergalerij van mevrouw Mijers, is tenslotte uitgemond in de studie waaraan ik mijn leven gewijd heb.

Geen wetenschappelijke bijdrage van wereldschokkend formaat, en in vergelijking met de bestrijding van honger en geweld zonder belang voor het menselijk welzijn, maar toch een onderzoek naar vormen waarin het samengaan van ongebondenheid en beheersing in verschillende culturen gestalte heeft gekregen.

Wat ik nu doe, is van een andere orde. De pogingen om woorden te vinden voor wezenlijke momenten van mijn eigen vroegere leven eisen een grotere nauwkeurigheid, boren een andere laag van mijn geweten aan (want niet in de eerste plaats het creatieve!) dan bijvoorbeeld de beschrijving en kunsthistorische situering van de blad- en bloemvormen in de deurlichten van Oudbataviase huizen, aan het orgel van de Portugese Buitenkerk, en als overvloedige versiering van meubelstukken uit de Compagniestijd.

Ik ben er altijd van uitgegaan dat het houtsnijwerk toen voor de VOC-opdrachtgevers ontworpen en uitgevoerd is door Javaanse kunstenaars. Die baseerden zich op een minstens duizendjarige traditie. Waarschijnlijk waren zij afkomstig uit de omgeving van Japara. Hun inspiratiebronnen herkende ik op reliëfs van de Prambanan-tempels en van de Tjandi Mendoet in de 'hemelbomen', boeketten van grillig krullende bladeren en lotusbloemen, zowel in knop als wijd ontloken, en ook in de zogenaamde 'makara'-motieven van de Boroboedoer, waar een mythisch wezen – half vis, half slurfdier – verandert in een onontwarbare verstrengeling van ranken en bloemtrossen. Die hindoeïstische symboliek van verwantschap tussen alle vormen van leven is zelfs nog te vinden op gebeeldhouwde grafstenen in een moskee uit de zestiende eeuw, toen de islam op Java veld won. Maar overeenkomstig de voorschriften van de Profeet gaan de paar dierfiguren op die reliëfs vrijwel onherkenbaar schuil in een overvloed van vegetatie, omdat in de islam levende wezens niet afgebeeld mogen worden.

Mijn leven lang heb ik me met dit alles beziggehouden. Natuurlijk komt die intense behoefte voort uit de indruk die de plantenwereld van Java op mij gemaakt heeft toen ik een kind was. Ik voelde me een deel van dat overweldigende groen, die kleuren. Nu pas dringt het tot me door hoe vreemd het is dat ik als volwassene mijn aandacht zo uitsluitend gericht heb op *afbeeldingen* van planten en bloemen, en dat mijn onderzoek veeleer de stilering van hun vormen gold dan de weergave van de levende natuur.

Iets wil geweten, uitgesproken worden, maar ik weet niet wat dat is. Het houdt zich schuil, ergens onder de oppervlakte van mijn bewustzijn. Het heeft daar sinds jaren verborgen gelegen. Als ik eerlijk ben, moet ik toegeven dat ik allang het bestaan kende van dat vormeloze, vage, dat me nooit bedreigde wanneer ik het zelf maar met rust liet. Maar nu is het alsof ik door al die herinneringen aan vroeger op te halen een beschermende scheidingswand doorbroken heb. Tegen mijn wil sijpelt het besef bij me naar binnen dat ik vragen moet stellen. Maar welke vragen zijn dat?

Ik lees wat ik in de afgelopen dagen heb opge-schreven. Geen woord gelogen, ik heb het allemaal beleefd, ik was toen daar, en erbij – en toch lijkt het over een ander te gaan.

Pakembangan was het verboden gebied dat onze ge-dachten vervulde. Wij kenden het alleen uit de schaarse mededelingen van Non, en van de foto's in mevrouw Mijers' familiealbum, dat zij vaak tevoor-schijn haalde, om er peinzend in te bladeren. Wie er op dat ogenblik bij haar in de buurt was vergastte zij dan op verhalen uit tempo doeloe. Als kinderen kon-den Dee en ik ons niets spannenders voorstellen dan spelen en zwerven in die immens grote tuin met vijvers, gazons, boomgroepen, en een door koningspalmen begrensd grasterras vanwaar men uitzicht had over de sawahs op de uitlopers van het Preangergebergte. Tussen de bloemperken stonden marmeren beelden (Flora, Pomona, Apollo, wees mevrouw Mijers) die we graag in werkelijkheid van dichtbij beken zouden hebben. Ik kon me, zelfs bij die ouderwetse afdrukken in sepia, de kleurenpracht voorstellen van flamboyants en bougainvillea's in bloei, het in het zonlicht schitterende groen van bomen en gras, het wazige blauw en violet van de bergen in de verte. Het landschap tussen Batavia en Buitenzorg kenden wij goed van zondagse uitstapjes met Louis in de auto, al vermeed hij de naaste omgeving van Pakembangan.

Ik heb dat album in mijn ebbenhouten kist. Sommige foto's geven een indruk van het leven op de onderneming aan het einde van de negentiende eeuw. Ik zie ze voor me wanneer ik mijn ogen sluit. Een open reiswagen met vierspan, de heer Lamornie de Pourthié, teugels in de hand, klaar om uit te rijden, terwijl in de schaduw tussen de zuilen van de voorgalerij de gestalten van wuivende dames zichtbaar zijn. Adèle en Louise, in luchtige maar hooggesloten japonnen van witte voile, en met hoeden op, in actie tijdens een partij croquet op een van de grasvelden. Een middagmaal met veel gasten in de binnengalerij, waarschijnlijk genomen aan het dessert; de glazen geheven, de servetten al verfrommeld naast de borden, de dubbele rij gezichten van de duidelijk verzadigde disgenoten allemaal lachend gekeerd naar de fotograaf; op de achtergrond een rij bedienden in kaïn en jas toetoep, die schalen vol vruchten dragen. De rijpaarden met hun verzorgers. De volières, en daarbij alweer Adèle en Louise met hun lievelingskaketoes op de hand, de schouder. Het grazende vee. De rijstvelden van de onderneming, zover het oog reikt.

Helaas bestaan er geen foto's van de bals en partijen die er op het landgoed zijn gegeven toen de twee dochters als huwbare meisjes 'in de wereld' kwamen. Mevrouw Mijers beschreef tot in de kleinste details hoe bij dergelijke gelegenheden soms wel honderd logés werden ondergebracht in het huis, het grote aparte gastenverblijf, en op nabijgelegen ondernemingen. Gehuurde orkesten uit Batavia speelden overdag marsen en potpourri's, en van zonsondergang tot in de kleine uurtjes dansmuziek. Voor het personeel van heel het 'land' waren er slametans, gamelanconcerten en wajangvoorstellingen.

Na die verhalen, waar Dee en ik nooit genoeg van konden krijgen, viel er meestal een stilte. Maar dat betekende niet dat mevrouw Mijers uitgesproken was. Terwijl zij in het album bleef bladeren haalde zij dan herinneringen op aan haar zuster, met wie zij zich altijd innig verbonden had gevoeld, haast alsof zij tweelingen waren. Die band was wreed verscheurd toen Louise door 'papa' letterlijk werd uitgeleverd aan zijn assistent, in ruil voor diens onmisbare toekomstige hulp. Vrijwel iedereen op de onderneming had een hekel aan die man, een harde werker en bekwame bedrijfsleider, maar als mens bot en kil.

Louise wist wel dat hij haar wilde, en ontweek hem altijd zo veel mogelijk. Zij had verschrikkelijk gehuild toen hun vader haar op de hoogte bracht van het huwelijksaanzoek, en tevens van de noodzaak het aan te nemen. De man was geen 'beau garçon', maar wel een volbloed Nederlander, hij had een fatsoenlijk voorkomen, een flink postuur, was nog geen veertig, dus in de kracht van zijn leven, en bleek in ieder opzicht de aangewezen persoon om de inkomsten van Pakembangan, en dus het fortuin van de Muntinghs, veilig te stellen. Kreeg hij Louise niet, dan zou hij zijn diensten elders aanbieden, hij kende zijn waarde.

Louise was bang voor hem, gruwde van de donker behaarde polsen die zichtbaar werden als hij zijn mouwen omhoogschoof. Wanneer mevrouw Mijers dit vertelde – en dat vergat zij nooit, omdat het kennelijk essentieel was – keek zij soms snel naar Dee en mij, vermoedelijk om te zien of wij de seksuele implicatie van die beharing en van Louises afschuw begrepen. Eerst was dat niet het geval, later wel; het maakte voor ons de tragiek van het gedwongen huwelijk opwindend invoelbaar.

Nachtenlang hadden de zusters in de beslotenheid van hun slaapkamer wanhopig gezocht naar een uitweg. Hun moeder, beducht voor haar erfgoed, deelde het standpunt van de grand seigneur Lamornie de Pourthié, die zelf niet over de capaciteiten beschikte om Pakembangan te beheren. Toen hij, juist in die bewogen dagen, een hartaanval kreeg (niet fataal, maar wel zorgwekkend) was Louise tenslotte gezwicht. Maar wat een prijs had zij moeten betalen voor haar vaders gemoedsrust!

Van Non hoorden we in de loop der jaren een en ander over de onaangekondigde bezoeken die Louise na haar huwelijk herhaaldelijk, radeloos, in paniek, bracht aan haar zuster in Batavia. Als kind en jong meisje had Non het allemaal van nabij meegemaakt, de kreten en snikken, de doktersconsulten en de behandelingen door de kruidenvrouw en de masseuse achter gesloten deuren.

Dee en ik gaan op zaterdagmiddag graag met Non mee de stad in om boodschappen te doen die niet thuisbezorgd of door de kokkie op de pasar gekocht worden. Er blijkt altijd wel iets te bestellen of te zoeken in de winkels van de Japanner en de Bombayer, bij de drogist of het warenhuis Toko de Zon. Non is gul met ijs en lekkers, loopt niet, zoals mijn moeder, doelgericht met een lijstje in de hand zaak in zaak

uit, maar houdt van slenteren, stoffen bevoelen, artikelen keuren, en laat Dee en mij naar hartelust hoeden en sieraden passen, ook al kopen we die niet.

Op een dag keren we na het bezoek aan Pasar Baroe niet meteen terug naar huis. Non wil een paar
pakjes brengen bij kennissen in een afgelegen wijk,
waar Dee noch ik ooit geweest zijn.

Natuurlijk rijden we er per deleman naartoe, Non
neemt nooit een taxi. Het kleine huis ligt in een stille Gang, aan de rand van een kampong. Het heeft
geen tuin, wel staan er een paar pisang- en papajabo-
men in de smalle doorgang naar het achtererfje. Op
Nons roep 'Sepada!' komen twee oude mensen naar
buiten, die zij begroet als Oom Boedi en Tante Neng.
Kennelijk is Non hier thuis. Dee ('de dochter van
Louis!') wordt onder verraste uitroepen bekeken en
toegelachen, en ik deel in die hartelijke aandacht.
Wij moeten mee naar binnen, krijgen glazen met ta-
marindestroop, en kweekwee. Non bericht in het
Maleis over het welbevinden van mevrouw Mijers en
haar huisgenoten. Zij heeft van Moenah iets gehoord,
is dat waar? De oude man zegt 'dat degene die het
toen gezien had' nu dood is.

'Dan is de baas zeker tevreden?' vraagt Non, merk-
baar niet tevreden. Tante Neng mompelt dat alles aan
en om die man 'tjelaka' heeft, iedereen ziet dat, het
zal niet lang meer duren, dat weet Non toch ook. Ja,
knikt Non, zij weet het, maar hoe lang, dat kan zij

niet zeggen. Erg gauw zal het niet zijn. Naar elkaar toe gebogen praten de drie volwassenen zachtjes met elkaar. Dee kijkt vanonder opgetrokken wenkbrauwen naar mij. Ik begrijp wel dat wat daar besproken wordt niet voor onze oren bestemd is. Non stuurt ons dan ook naar buiten, zij komt zo.

Terwijl wij in de deleman zitten te wachten, zegt Dee opeens: 'Hoorde je wat ze zeiden, boenoeng, moord.'

Maar dat woord is mij ontgaan.

Op de terugweg bestookt Dee Non met vragen.

'Wie zijn die luitjes toch?'

Non zucht. 'Oom Boedi was schrijver in het kantoor op Pakembangan. Vroeger, toen ik nog klein was.'

'De "baas", is dat... je weet wel?' Dee vermijdt uit gewoonte de naam van de gehate eigenaar van de onderneming.

De manier waarop Non niet antwoordt kennen we als 'ja'.

'Waarom heeft die man tjelaka?'

Na een aarzeling zegt Non: 'Malaise, toch. Vraag niet zo dom, Dee.'

'Wie is er dan vermoord?' dringt Dee aan.

'Zo langgeleden al,' zegt Non tenslotte onwillig.

'Die stomme Louise?'

Onze altijd zo zachtmoedige Non geeft Dee een venijnige tik op haar hand. 'Stil jij!'

Non kon, wanneer zij daar zin in had, meeslepend vertellen. Zij beschikte over een voorraad geheimzinnige en griezelige verhalen, die te maken hadden met het verleden van de Muntinghs in de Compagniestijd. Als kinderen hingen Dee en ik dan aan haar lippen, wij wilden ze steeds weer horen, met nieuwe details, die we er ook zelf bij verzonnen, en die Non in het vervolg nooit mocht overslaan. Het favoriete vertelmoment was na de middagthee, tegen zes uur, wanneer de zon onderging, en het donker werd onder de hoge bomen in de tuin.

Daar was de geschiedenis van 'de mooie mardijkse', in zeventien-zoveel de tweede of derde echtgenote van een Jeremias Muntingh. Zij stamde af van slaven uit Coromandel, aan de zuidoostkust van India, die tijdens het Portugese bewind vrijgekocht of vrijgelaten waren, en daarom later door de Hollanders mardijkers genoemd werden, naar het Sanskrietwoord 'merdeka', vrijheid. De jonge vrouw was gedoopt, en heette Maria Sofia. Haar glanzende huid had een heel donkere kleur, haast zwart, 'als ebbenhout,' zei Non, zij was beeldschoon. Als zij haar haren los liet hangen reikten die tot haar knieholten, en haar lopen leek dansen. Haar veel oudere man hield veel van haar, om haar schoonheid, maar vooral omdat zij hem zijn enige zoon geschonken had. Hij overlaadde haar met goud en juwelen, daar werd wel schande van gesproken door de zelf toch ook behoorlijk pronkzieke voc-dames van Batavia.

Eens, in een erg warme nacht, stond Maria Sofia op van haar plaats in bed naast de slapende Jeremias, om zich te gaan verfrissen in het badpaviljoen op het erf van het Muntingh-huis, aan de oever van de Tjiliwoeng. Later schrok haar man wakker van geschuifel en een vreemd hikkend geluid. Bij het schijnsel van de nachtkaars zag hij, door het muskietennet heen, Maria Sofia bij het bed staan. Non imiteerde steeds met veel gevoel voor drama de stem van de liefhebbende echtgenoot: 'Wat sta je daar, kekasih? Kom toch liggen! Waarom heb je je mooiste sieraden aangedaan?' Er was een rode glinstering om de hals van zijn vrouw, als van haar feesttooi, een snoer met een franje van robijnen. Zij gaf geen antwoord, maar maakte weer dat eigenaardige geluid. 'Wat is er, wat is er?' vroeg hij ongerust, terwijl hij de klamboe openrukte en haar bij de arm greep. Op dat ogenblik stroomde er een golf bloed over zijn handen, en viel haar hoofd voor hem op de grond.

Hier zweeg Non altijd even, voor onze reactie van afgrijzen die nooit uitbleef, ook al hadden wij het verhaal honderd keer gehoord. Maria Sofia's keel was doorgesneden, zo snel, en met een zo vlijmscherp mes, dat haar hoofd op zijn plaats bleef zitten en zij niet dadelijk het bewustzijn verloren had. Voetje voor voetje was zij van het badpaviljoen teruggeschuifeld naar het huis. De dader werd nooit gevonden.

Nog spannender dan het verhaal vonden Dee en ik het zoeken naar verklaringen voor het gruwelijke gebeuren, dat merkwaardig genoeg nooit in de officiele annalen van de stad vermeld was. Wie was de moordenaar? Een dief, die verborgen in het badhuisje gewacht had op een gunstig ogenblik voor inbraak? Een ooit afgewezen aanbidder uit het kamp der mardijkers? Een huurling van de jaloerse dochters uit Jeremias' vorige huwelijken?

Een andere raadselachtige geschiedenis, die ook weer te maken had met het oude Huis Muntingh in de benedenstad, was die van het Chinese spook. De verschijning werd nooit in haar geheel waargenomen, bleef beperkt tot een zwevende tanige hand met buitengewoon lange, naar buiten omgebogen nagels (zoals in vroeger eeuwen de mandarijnen hadden). Men zag die spookhand plotseling op de leuning van een stoel, of een deurklink, of woelend in een openstaande lade, of de bladen omslaand van het grote kasboek op de lessenaar in het kantoor van de heer des huizes. Die, Bartholomeus Muntingh, de kleinzoon van Jeremias, was getrouwd met een dochter van de schatrijke Majoor der Chinezen in Batavia, een huwelijk uit wederzijdse berekening.

Bartholomeus kon met hulp van zijn schoonvader een onvoorziene tegenslag, teloorgang op zee van twee met handelswaar geladen schepen, te boven komen. De waardige Lim Tong Siang rekende op inburgering in de hogere regionen van de VOC en op meer officiële steun en erkenning voor zijn landgenoten.

Ondanks de familieband bleef de verhouding afstandelijk. De Chinees vergat nooit dat hij destijds zijn schoonzoon die grote som gelds geleend had, weliswaar zonder over terugbetaling of rente te praten, maar op voorwaarde dat Bartholomeus royaal zou bijdragen aan de bouw van een klenteng, een tempel, voor de steeds groeiende Chinese gemeenschap. Bartholomeus vergat die afspraak wel (dat kwam hem beter uit), en kocht grond buiten de stad, bij de plaats Weltevreden. Hij was van plan om daar een huis te laten bouwen, niet ver van het nieuwe paleis van gouverneur-generaal Daendels.

Lim Tong Siang stierf, en dadelijk daarna begon de spokerij. Muntinghs vrouw brandde wierook voor Confucius en Boeddha, maar het hielp niet. De familie verhuisde, zodra dat mogelijk was, naar de woning in Weltevreden. Blijkbaar kon de geest van de Chinees de weg daarheen niet vinden. Ook toen er al sinds meer dan een eeuw geen stoel, ladekast of kasboek meer te vinden was in het vervallen pand aan de Kali Besar, werd – volgens Non – de spookhand toch nog wel eens zichtbaar, in een donkere hoek, om de kier van een deur, of tastend langs de wanden.

Dat ik me die verhalen zo goed kan herinneren, komt natuurlijk doordat het Huis Muntingh altijd belangrijk voor me geweest is, ook – misschien meer dan ooit – toen het niet meer bestond.

Waar we bij Non meestal lang moesten zeuren voor zij bereid was ons een van haar verhalen te vertellen, konden we mevrouw Mijers zonder moeite aan de praat krijgen. Zij vond het heerlijk herinneringen op te halen, niet alleen aan haar meisjesjaren op Pakembangan, maar vooral ook aan de korte tijd die zij in Buitenzorg had doorgebracht als de jonge vrouw van luitenant Mijers. In die periode, die zij als het hoogtepunt van haar leven beschouwde, draaide alles om het Paleis, de residentie van de gouverneur-generaal. Wij zagen het door haar ogen: uitgestrekte marmeren galerijen, de ovale ontvangstzaal met Corinthische zuilen, het empiremeubilair, de kristallen kroonluchters, een levensgroot portret van de pas gekroonde Wilhelmina in hermelijnen mantel, en de gouden staatsiepajong-in-standaard aan de voet van dat schilderij. In die luisterrijke omgeving hadden mevrouw Mijers en haar man hun eerste diner 'ten Hove' meegemaakt. Zij beschreef ons het streng geregisseerde ceremonieel tot in de kleinste bijzonderheden. Hoe zij op de trappen naar het bordes ontvangen en vervolgens naar binnen geleid werden, de heren door de oudste adjudant, de dames door de adjudant van dienst van dat moment (de functie die Mijers wachtte). Hoe Zijne Excellentie verscheen, in rok, en de in een dubbele haag opgestelde buigende en nijgende gasten minzaam verwelkomde. De maaltijd, bereid door een Franse chef-kok! Achter de stoel van iedere gast een eigen bediende in blauw-zilveren livrei! Het in maanlicht badende immense park voor, en de donkere bomenmassa's van 's Lands Plantentuin achter het Paleis! Mevrouw Mijers was door Zijne Excellentie gecomplimenteerd vanwege haar toilet: zalmroze tafzijde, met een sleep, en een stola van Brusselse kant! Zijne Excellentie, dat was toen jonkheer Van der Wijck, een echte aristocraat, heel wat anders dan de gouverneur-generaal Van Heutsz, die zij enkele jaren later, toen zij als weduwe in Batavia woonde, had ontmoet tijdens haar enige bezoek aan het Paleis op het Koningsplein. De echtgenote van de landvoogd gaf daar een middagthee voor dames, en Zijne Excellentie was ter begroeting even verschenen. Hij mocht dan een bekwaam militair en politicus zijn (men prees hem de hemel in, hij werd de grootste gouverneur-generaal sinds Jan Pieterszoon Coen genoemd), maar hij was zonder uniform om zo te zien een Hollands burgermannetje, slordig gekleed, en bovendien grof in de mond! Toen had mevrouw Mijers het even niet betreurd dat zij niet tot de hofhouding behoorde!

Op weg naar school fietste ik dagelijks langs het ter ere van Van Heutsz opgerichte monument in de nieuwe zuidelijke woonwijk van Batavia. Het was versierd met indrukwekkende bas-reliëfs. Plechtig voortschrijdende inheemse volksgroepen, voorafgegaan door een olifant met een kornak op zijn rug, torsten een bastionachtig bouwsel, bekroond met het standbeeld ten voeten uit van de man die Atjeh en de laatste nog onafhankelijke gebieden in de buitengewesten onder Nederlands gezag had gebracht: een martiale stenen figuur, in niets gelijkend op de Van Heutsz uit de verhalen van mevrouw Mijers.

Het monument hoorde zozeer als vanzelfsprekend in onze buurt dat ik er eigenlijk geen bijzondere aandacht aan besteedde. Over Van Heutsz waren de meningen verdeeld. De geschiedenisleraar gebruikte in verband met hem nooit het woord 'held', en hield zich op de vlakte wat betreft de krijgsverrichtingen in Atjeh en elders in de archipel.

Toen ik in 1952 terugkwam in Jakarta bestond het monument niet meer. In de eerste dagen van de Indonesische onafhankelijkheid was het met de grond gelijkgemaakt.

Ik ging als kind het liefst bij Dee spelen en, later, huiswerk maken, maar Dee wilde juist graag bij mij komen. Ik begreep nooit dat zij aan onze nieuwbouwbuurt van gelijkvormige villa's in westerse stijl, op nog boomloze erven, met een klein terras aan de straatzijde, de voorkeur kon geven boven de marmeren ruimten van haar grootmoeders huis. Daar vormde de uitgestrekte tuin met zijn boomgroepen als het ware een hele reeks openluchtkamers, waar we ons op ieder uur van de dag konden installeren om te lezen, of te eten, of een spel te doen. Bij mij thuis moesten we noodgedwongen binnen blijven, omdat de nog jonge boengoer- en acaciabomen nauwelijks schaduw wierpen. Op het 'platje' was het alleen na zonsondergang uit te houden. Daar iets kouds drinken bij het licht van de schemerlamp, terwijl mijn vader de krant las en mijn moeder zich wijdde aan een van haar modieuze handwerken (het op lappen stof sjabloneren met verf waarin glinsterende korreltjes gemengd waren), vond Dee het toppunt van gezelligheid. Ik hield juist van de avonden in de stille achtergalerij bij mevrouw Mijers, van samen schoolwerk maken aan de grote tafel, terwijl op de witte muur van tijd tot tijd een tjitjak met haast onhoorbaar klikkend geluid naar een insect hapte, en buiten in het donker de krekels gonsden. Soms kwam Non bij ons, met lekkers uit de keuken, krokante pittige tengteng katjang of sneetjes spekkoek.

Meestal zat mevrouw Mijers in de binnengalerij aan haar secretaire brieven te schrijven of haar kasboek bij te houden. Als Louis thuis was (wat niet dikwijls voorkwam) draaide hij in zijn kamer jazzplaten, en lieten Dee en ik onder de tafel onze voeten meedansen op het ritme van de 'Tiger Rag' en 'Broadway Lullaby'. Bij mij thuis werden dergelijke klanken nooit gehoord. Wij hadden geen grammofoon. Mijn ouders gingen naar pianorecitals en strijkkwartetavonden in de Bataviase Kunstkring. Ook mevrouw Mijers had een abonnement op die concerten. De jazzmuziek van Louis verdroeg zij met veel gezucht en geïrriteerd hoofdschudden. Herhaaldelijk moest Sidin, de sepèn, gaan vragen of het wat zachter kon. Om haar te sussen rondde Louis dan het programma af met Duitse schlagers van het moment, 'Eine Nacht in Monte Carlo' of 'Das gibt's nur einmal'.

Te oordelen naar een vergeelde, uit *Het Indische Leven* gescheurde foto die zich in mijn ebbenhouten kist moet bevinden, hadden de Russische artiesten die medio 1919 een tournee over Java maakten een zwierige allure. Zij brachten, begeleid door een pianist, aria's en duetten uit bekende opera's. De enige danseres in het gezelschap, een Poolse, schitterde als Stervende Zwaan en bajadère. De revolutie maakte terugkeer naar Rusland voorlopig onmogelijk. Daarom rekten zij hun verblijf in Indië, waar zij guller ontvangen waren en makkelijker engagementen bleken te kunnen vinden dan in de Britse koloniën. Het groepsportret toont het gezelschap in theatrale opstelling, alsof het een societystuk opvoert. De vrouwen, gekleed naar de belachelijke mode van die jaren, in al voetvrije toiletten vol volants, kwasten en kralenfranjes, poseren bevallig op enkele stoeltjes, de mannen, allen in rok, staan naar hen overgebogen of knielen aan hun voeten, terwijl zij een salonconversatie mimeren. Maar bij nader toezien maken de voyante japonnen een wat armoedige, verflenste indruk, en ook de rokkostuums zijn te vaak gedragen. Het zielvolle of behaagzieke ogenspel, de losheid van houding en gebaar, vormen een façade waarachter heel andere emoties schuilgaan, onrust, vermoeidheid, verveling.

Uit de toon van de begeleidende tekst blijkt dat het oordeel van de recensent, die de eerste voorstelling in Batavia bezocht had, welwillender uitgevallen moet zijn dan de prestaties rechtvaardigen. Hij maakt nadrukkelijk melding van de tragische situatie waarin deze 'ballingen' verkeren. De enige over wie hij met een zweem van geestdrift schrijft (weliswaar niet in de eerste plaats naar aanleiding van het artistieke gehalte van haar solo-optreden, maar vooral vanwege haar temperamentvolle mimiek en oogstrelende vormen), is de danseres Nadia Wychinska. Zij zit, ver achterovergeleund, op een laag bankje. De split in haar nauwe rok dwingt haar een fraai been te laten zien, met kruiselings om de kuit gewonden schoenlinten. In die zwoele ogen, die tamelijk grove mond, heb ik niet meer dan een vage gelijkenis met Dee kunnen ontdekken.

Er werd thuis niet gesproken over Nadia, ooit de

vrouw van Louis Mijers, die na twee huwelijksjaren man en kind had verlaten om halsoverkop naar haar vaderland terug te keren. Dee bleek niet meer te weten dan ik. Ik geloof niet dat zij als kind nieuwsgierig was naar de moeder die zij nooit gekend had. Die begon haar pas te interesseren toen zij, op zoek naar (verboden) sigaretten in de kamer waar haar vader meestal logeerde wanneer hij in Batavia was, tussen het drukwerk in zijn bureauladen dat ene nummer van een sinds lang opgeheven Indisch weekblad vond. Natuurlijk liet zij het mij zien. Wij liepen ermee naar Non, die na lang aandringen iets losliet over wat zij 'de romance' noemde.

Louis Mijers was tijdens een voorstelling waarin La Wychinska gekleed als Carmen een Spaanse dans uitvoerde, getroffen door de spreekwoordelijke 'coup de foudre'. In de daaropvolgende dagen had hij de artieste zo hardnekkig het hof gemaakt dat zij na afloop van een te harer ere gegeven vrijgezellenfuif aan het strand van Tandjong Priok gezwicht was voor zijn avances. Hij was bang dat ze met het gezelschap verder zou reizen, vandaar het overhaaste huwelijk!

Gedrieën bestudeerden wij de foto. Ik herinner mij dat Dee niet zonder trots zei: 'Net een vamp!' Zij had een grote verzameling filmsterren. Haar voorkeur ging uit naar sophisticated schoonheden als Joan Crawford en Marlene Dietrich. Ondanks de rare kleding en overdreven pose had Nadia Wychinska een vergelijkbare uitstraling.

Non vertelde dat de Poolse zich niet had kunnen aanpassen aan het Indische leven en aan de gang van zaken in het huis van mevrouw Mijers, waarvan het jonge paar tot nader order een gedeelte bleef bewonen. Een onvoorstelbare rommel, die zelfs de bedienden tot wanhoop dreef! Een humeur waar geen peil op te trekken viel, de ene dag lachen en zingen en dansen, de volgende rokend in bed liggen of somber zitten staren. Non schreef dat toe aan heimwee, kassian.

Zelfs de geboorte van Dee had geen verandering in die toestand gebracht. En dus was Nadia weer vertrokken. De vragen 'Waarheen?' en 'Wat gebeurde er daarna met haar?' kon Non alleen schouderophalend, met een hulpeloze glimlach beantwoorden. Zij wilde er verder niets over zeggen, drukte ons op het hart onder geen beding in tegenwoordigheid van mevrouw Mijers het krantenknipsel of de naam Nadia ter sprake te brengen.

Voor Dee en mij werd wat wij gehoord hadden de aanleiding tot steeds weer nieuwe fantasieën en veronderstellingen. Talloze malen bekeken wij die illustratie uit *Het Indische Leven*, bedachten gesprekken en dramatische relaties tussen de artiesten (behalve Nadia prikkelde vooral de knappe tenor Serge Potopovich onze verbeelding). Ik kan me zelfs nu nog de groepsfoto tot in detail voor de geest halen, ook al is het jaren geleden sinds ik die in handen heb gehad. Lang bleef het een spel, een soort van gesproken feuilleton, waarin we om de beurt de rol van verteller vervulden. Van de betekenis die dit alles intussen voor Dee gekregen moest hebben, vermoedde ik niets.

Mevrouw Mijers zit aan de theetafel, in de binnengalerij. Buiten striemt de moessonregen het achtererf, het water klettert van de dakrand naar beneden in de overvolle gemetselde goot langs het huis, en spat zo hoog op dat een wolk van fijne druppels door de tochtvlagen tot bij ons wordt gedreven. Dee en ik vinden dat heerlijk na een dag van loodzware hitte, en leunen amechtig achterover in onze rotanstoelen. Ook mevrouw Mijers heeft haar waaier kunnen wegleggen. Zij kijkt hoofdschuddend naar de natte plekken op de marmertegels van de achtergalerij.

'Adé, ga behoorlijk zitten,' zegt ze plotseling. 'Zo ben je geen lady.'

Dee zakt nog dieper weg in de stoel, trekt haar jurk tot aan haar liezen op en schopt haar schoenen uit (bij mevrouw Mijers mogen wij nooit, zoals bij mij thuis, op blote voeten lopen). Dan zwaait zij een voor een haar lange benen omhoog.

'Ik ben danseres. Zoals mijn Ma. Nadia! Ja, Nadia, Nadia! Waarom mag ik niets weten?'

Ik schiet van schrik overeind, wil waarschuwen,

maar het is te laat. Het blijft stil. Mevrouw Mijers verschuift een paar dingen op het theeblad. Het is de enige maal dat ik haar meemaak in een situatie die zij niet beheerst. Natuurlijk kan zij wel raden wie het jarenlang zo streng gehandhaafde taboe heeft geschonden. Maar zij weet ook, Nons omwegen kennende, dat die – en dan pas onder protest – alleen een paar onvolledige feiten, niet meer dan halve waarheden, prijsgegeven heeft. Zij moet dat wel voelen als een haar door haar dochter opgelegde dwang om een einde te maken aan die onnatuurlijke geheimhouding. Ik besef plotseling dat zij niet kwaad is, maar vooral onthutst, beschaamd, omdat zij ongelijk had door de dingen zo lang op hun beloop te laten. En nu kan zij de juiste toon, de goede woorden, niet vinden.

Het onweer dat aan de stortbui voorafgegaan is, blijkt niet werkelijk weggedreven, het bliksemt alweer, en de donder rommelt dichterbij.

Mevrouw Mijers' stem klinkt hoger dan normaal en trilt wanneer zij losbarst in een reeks onsamenhangende mededelingen waaruit valt op te maken dat 'die Poolse' zonder toekomst, want talentloos, er vanaf het begin op uit geweest was Louis aan de haak te slaan, en het daarom met opzet tot een zwangerschap had laten komen. 'Toen kon hij als gentleman niet meer terug.'

In een adem laat zij daarop volgen dat de zedeloosheid van Nadia overduidelijk bleek uit het feit dat ze zich, toen haar kind nog in de wieg lag, had laten verleiden door weer zo'n rondreizende artiest, een cabaretier, die vanwege zijn politieke opvattingen in Indië allang als ongewenst persoon werd beschouwd. Met die man was ze vertrokken, mevrouw Mijers wil niet weten waarheen. Ze is er wel van op de hoogte dat het Louis eindeloos veel moeite heeft gekost om de scheiding geregeld te krijgen.

Dee is opgesprongen en holt via de voorgalerij naar buiten. Ik aarzel nog, maar als ik zie dat zij niet terugkomt en door de stromende regen dwars over het grasveld voor het huis naar de straat loopt, ren ik haar achterna. Zij weigert mee terug te gaan, blijft blootsvoets door de plassen plonzen.

Tenslotte haal ik mijn fiets, die de kebon van mevrouw Mijers zoals altijd op de galerij bij de bijgebouwen heeft neergezet. Dee is al haast aan het einde van de laan als ik naast haar afrem. Zonder een woord gaat zij op mijn bagagedrager zitten.

Tegen de telkens van richting wisselende regenvlagen in en eigenlijk doodsbang voor inslag in het hoge geboomte langs de totaal verlaten weg (het bliksemt en dondert onafgebroken), rijd ik naar mijn huis. Wij hebben geen droge draad meer aan ons lijf, het water druipt uit onze haren. De natte handen van Dee op mijn schouders zijn ijskoud.

Wij vinden mijn moeder in de eetkamer, bezig

met redactiewerk voor een project dat haar na aan het hart ligt, *Het Indisch Vrouwenjaarboek*. Zij heeft zich na het baden nog niet gekleed, draagt haar house-coat, en om haar hoofd een tot tulband gewonden handdoek. De jaloezieën voor de ramen zijn gesloten vanwege het onweer, de lamp is aan. Door de open deuren naar onze kleine achtertuin waait de geur van aarde en druipend loof. Zij draait juist twee kwartovellen met een stuk carbonpapier ertussen in mijn vaders schrijfmachine. Hoofdschuddend, verstrooid, zegt ze: 'Zo, zijn jullie daar, verdronken katten! Ga mandiën, trek schoon goed aan. Dee, neem een jurk van Herma.'

Oemar staat al klaar met een lap om het spoor van water dat wij achterlaten op te dweilen. Idah heeft droge kleren klaargelegd in de badkamer. De uitbrander over onze rit door het noodweer krijgen we van haar.

'Adoeh, jij laat je op je kop zitten door de baboe!' zegt Dee. Het zijn de eerste woorden die ze spreekt sinds we weggereden zijn van mevrouw Mijers' huis. Dan barst ze uit in een schrikaanjagende huilbui. Ze schreeuwt het uit, stikt bijna in haar tranen. Mijn moeder komt toegesneld, neemt haar mee naar de logeerkamer en blijft daar lang met haar praten.

Later kreeg ook ik het allemaal te horen, zij het niet van Dee zelf. Ik vroeg niets, omdat Dee er niet over sprak. Haar zwijgen zei me dat 'Nadia' van een interessant geheim een pijnlijk raadsel geworden was.

Mijn moeder gaf toe dat zij Nadia Wychinska maar een paar maal ontmoet had, en bij die gelegenheden nauwelijks een woord met haar had kunnen wisselen, omdat zij elkaars Frans niet verstonden. De artieste was heel vrij in haar manieren, en ongegeneerd openhartig. Zij had felle kritiek op de Nederlands-Indische burgerlijkheid en bekrompenheid, en was diep teleurgesteld in Louis, die haar een leven van avontuur en tropische weelde had beloofd. Zij kon onmogelijk onder een dak wonen met mevrouw Mijers en Non. Louis hield van uitgaan, bleef niet thuiszitten bij een zwangere vrouw, en zij weigerde zich in het openbaar te vertonen voor zij weer modieuze kleren kon dragen. Zij had erg veel last van de warmte, zij verveelde zich dood.

Wat mijn moeder niet had willen vertellen, maar wat, dacht zij, Dee intuïtief aanvoelde: dat Nadia vooral geschokt was toen zij ontdekte dat Louis, ofschoon welgesteld, blijkbaar toch tot een tweederangs bevolkingsgroep gerekend werd. Toen zij zijn zuster te zien kreeg, was zij geschrokken. Zij wilde geen halfbloed kind!

Dom! vond mijn moeder, vanwege het geld halsoverkop trouwen met iemand wiens land en achtergrond je niet kent. Heel unfair tegenover Louis. Arme Dee.

Maar Dee heeft het anders verwerkt. Nadia werd haar heldin, haar voorbeeld, een moedige vrouw die tijdig de beurse plekken in de koloniale samenleving herkend, en toen de vrijheid verkozen had.

Eindelijk is Non gezwicht voor mijn aandringen. Ze neemt me mee naar het Huis Muntingh in de benedenstad. Na het middageten – als mevrouw Mijers rust, want zij mag het niet weten – rijden we met een deleman naar Kali Besar West, die wijk van kantoren en eethuizen en toko's, die ik alleen ken van het uitgaan met mijn ouders bij avond, als het druk is in de straten vol kleurige lichten, Chinese reclameopschriften en kookwalmen, maar waar nu de stilte van de heetste uren heerst. Door een poortje in een verder blinde muur komen we op een in de zon blakerend, smal, kaal voorerf. Het huis ligt ingeklemd tussen twee zakenpanden. Het geldt als een ruïne, en is eigenlijk niet toegankelijk. Uit opmerkingen van mevrouw Mijers, Louis en Non heb ik begrepen dat het nog altijd familiebezit is, en dat het gouvernement het 'voor een appel en een ei' (zoals Louis smalend zegt) zou willen kopen om het te restaureren, en er dan goede sier mee te maken als historisch monument, een pendant van het fameuze Huis Reynier de Klerk. Vanbuiten is er weinig aan te zien: een vierkante gevel, een luifeldak, geen voorgalerij, maar wel smalle, hoge, door luiken afgesloten ramen. Er zijn

overal geschonden plekken op de al sinds onheuglij-
ke tijden niet meer gepleisterde buitenmuur. Alleen
om de voordeur zit versiering, een stenen lijst, met
onderaan, ter weerszijden van de stoep, gebeeldhouwde krullen en rozetten.

De bewaker duikt op vanonder een afdak, de enige
schaduwplek. Hij heeft Nons boodschap gekregen
en staat klaar om de hangsloten aan de antieke ijzeren grendels open te maken. Hij laat duidelijk merken dat hij niet mee naar binnen wil, en Non geeft
dan ook te kennen dat we geen begeleiding nodig
hebben. Sinds het begin van de negentiende eeuw
heeft hier niemand meer gewoond.

Door kieren en spleten in de gesloten luiken valt
wat licht, zodat ik, nu mijn ogen gewend zijn, het
houtsnijwerk met sporen van rode verf en verguldsel
aan deuren en kozijnen kan onderscheiden. De pla-
vuizenvloer is vol gaten. Er hangt een muffe lucht
van molm en oud bederf. Over de muren, die allang
niet meer wit zijn, lopen vuile strepen van het regen-
water dat door het kapotte dak gelekt is. Het pronk-
stuk is de trap met gebeeldhouwde leuningen. Die
voerde ooit, zegt Non, naar een verhoogde zaal voor
ontvangsten en partijen, maar de hele bovenverdie-
ping is jaren geleden ingestort. Ook in de kamers
van het achterhuis kunnen we niet komen vanwege
uit het plafond neerhangende balken en planken.
Wel zie ik door een halfopen deur naar die ruimten

een gedeelte van een plint die uit Delfts blauwe te-
geltjes bestaat. Wij hebben thuis zo'n tegel ingelijst
aan de muur, een souvenir aan mijn vaders geboor-
testad.

Ik moet denken aan het leven vroeger tussen die
vrijwel raamloze muren, in de klamme hitte, en de
uitwaseming van de Kali Besar. In mijn verbeelding
horen bij het Huis Muntingh, dat ik al ken van een
achttiende-eeuwse prent, figuren zoals de tekenaar
die toen heeft geschetst onder de palmen langs de
rivieroever: dames en heren in westerse kledij, begeleid door bedienden met pajongs. Nu realiseer ik me
dat die staatsie natuurlijk alleen gold voor vertoon
buiten de deur, kerkbezoek en flaneren. Ook hierbinnen is er geen andere versiering dan die in het
voor representatie bestemde voorhuis. Er overvalt
me een eigenaardig gevoel, alsof ik op het punt sta
binnengezogen te worden in de dagelijkse werkelijkheid van een andere tijd, geroezemoes en bedrij-
vig gedoe in krappe, benauwd warme woonvertrek-
ken, waar vrouwen in hun huiselijke dracht van batik wikkelrok en lang jak (de meesten hurkend op
matten en kussens) zich koelte toewuiven – of laten
toewuiven –, kletsen, bezig zijn met opschik of naai-
werk, waar een kind gebaad of gewiegd, een zieke
verpleegd, snoeperij rondgereikt wordt, terwijl door
het raam met zijn tralies van bamboestaven de gelui-
den en geuren binnendringen van de tropische dag,

de stadse activiteiten die buiten de bewoonsters van
het Huis Muntingh omgaan. Ik hoor niets, ik zie
niets, en toch is er die gewaarwording van aanwezigheid, de echo van tientallen jaren altijd hetzelfde
soort leven in het 'salet', of dat nu het salet was van
de dochter van de Majoor der Chinezen, of dat van
de mooie mardijkse, of al die anderen die er ooit als
mevrouw Muntingh zetelden. Er is hierbinnen geen
luchtstroom, maar iets vreemds waait op me aan uit
die donkere kamers. Ik voel dat ik duizelig word.

'Kom Toet,' zegt Non achter mij. Zij duwt voorzichtig een krakende deur open.

Ineens staan we weer in het schelle zonlicht, op
een binnenplaats. Zij wijst me, aan de overkant, resten van bijgebouwen. Daar waren ooit stallen en de
verblijven voor de tientallen slaven en slavinnen.

Van opzij kijkt zij mij aan met een blik die me in
verwarring brengt: had ik niet zo moeten zeuren om
dit bezoek aan het huis dat mijn fantasie prikkelt
sinds zij bijzonderheden verteld heeft over het verleden van de Muntinghs? Hier lijkt zij ineens anders,
zelfbewuster, afstandelijker. Op een nieuwe manier
legt zij mij haar wil op. Zij is de gids in het vervallen
huis van haar voorouders. Ik loop waar zij gaat, en
sta stil waar zij dat doet. Zij belet mij zelf iets aan te
raken, maar pakt mijn hand en leidt mijn vingertoppen over het houtsnijwerk van de deurpanelen en de
ornamenten aan de balustrade van de halfopen gale-

rij langs de binnenplaats. Het is alsof ik blind ben, en zij me op die manier het patroon van bloemen, bladeren en guirlandes, en de vormen van de siervazen en getorste balusters wil inprenten.

Dan zegt ze plotseling kortaf: 'Genoeg, ja.'

We verlaten het Huis Muntingh, klimmen weer in de deleman en rijden naar Pasar Baroe, waar Dee op ons wacht om samen ijs te gaan eten.

Dee vond mijn verbeelding van het salet met de vrouwen in het Huis Muntingh niet spannend genoeg. Er was toch ooit een moord gepleegd, het spookte er, vast en zeker had een echtgenote of dochter wel eens een heimelijk liefdesavontuur beleefd met een vreemdeling! Het opstel waarin ik de indrukken van dat eerste en laatste bezoek aan het huis verwerkt had met tekeningetjes erbij van de siervazen en het bloemenmotief in het houtsnijwerk (die ornamenten bleken in mijn geheugen gegrift), ontlokte aan Dee een 'Zo knap, jij schrijft altijd goed!' maar in een adem noemde zij het ook 'Wel saai!'. Als zij een opstel zou maken – maar dat kon zij niet, beweerde zij hardnekkig – dan zou zij een heel ander onderwerp kiezen uit die voorbije tijden. Zij liet mij lang nieuwsgierig blijven: 'Ik zeg het niet! Niks voor jou!' Tenslotte kwam zij toch voor de dag met wat zij dan wel spannend vond, op een middag tijdens het rustuur, bij mij thuis ditmaal, toen wij naast elkaar in bed huiswerk zaten te maken, met onze rug tegen de muur en de goeling in onze knieholten.

Zij vertelde mij dat zij sinds de jaarlijkse verplichte schoolexcursie naar de bezienswaardigheden van Oud-Batavia steeds moest denken aan Pieter Erberveld, de op 14 april 1722 terechtgestelde samenzweerder tegen de Compagnie, wiens witgepleisterde doodshoofd, op een spies gestoken, nog altijd te kijk stond op een brok muur aan de Jacatraweg. In een halve kring opgesteld tegenover dat gedenkteken in de vorm van een rechtopstaande grafzerk, hadden wij het verhaal van zijn gruwelijke foltering te horen gekregen. Een van ons moest hardop de inscriptie lezen: 'Uyt een verfoeylijke gedagtenisse teegen den gestraften Land Verraader Pieter Erberveld sal niemand vermoogen te deeser plaatse te bouwen, timmeren, metselen of planten, nu of te eenigen dage.'

Dee opperde dat Pieter Erberveld vast en zeker de Muntinghs van zijn tijd gekend had. Misschien had hij wel geprobeerd een Muntingh te winnen voor die samenzwering van hem om alle Europeanen te vermoorden.

'En hijzelf dan?' vroeg ik.

'Hij was een Indo, toch?' zei Dee. 'En die Muntinghs waren ook niet meer blank.'

Meer nog dan haar nonchalante gebruik van het beladen woord Indo verbaasde mij de vanzelfspre-

kendheid waarmee zij stelde dat het plan van Erberveld om de regering in de stad aan zich te trekken en
een Javaan te benoemen tot hoofd over de inlandse
bevolking nog zo gek niet was. Dan zou de streek be-
stuurd worden door mensen die er thuishoorden, en
niet door de totoks van de VOC, wie het alleen te
doen was om handelswaar, geld en macht. In hun
ogen waren immers alle niet-Hollanders, niet-blan-
ken, minderwaardig. Pieter Erberveld kreeg geen kan-
sen, moest elke dag voelen dat hij een halfbloed was.
Zij kon hem begrijpen!

Haar toon was uitdagend, alsof er sprake was van
een meningsverschil tussen ons. Ik vroeg haar of zij
zichzelf een Indo vond.

'Mijn opa Mijers had een Javaanse grootmoeder.
En in de familie van mijn oma zitten alle kleuren,
blank, bruin, geel en zwart! Kijk naar Non! Zij denkt
zelf dat ze zo donker is omdat ze het bloed heeft van
die mooie mardijkse, je weet wel, haar huid was net
ebbenhout!'

'Jij hebt toch Frans, en voor de helft Pools bloed,
dat is dus zo Europees als wat!'

Dee reageerde fel: 'Oké, maar ik ben toch geen totok!'

'Ik ook niet,' zei ik vol overtuiging.

In 1936 bleef Dee zitten in de derde klas. Zij wilde
niet doubleren, maar van het gymnasium af, en dan

naar de driejarige meisjes-hbs, om daar het volgende jaar eindexamen te doen. Mevrouw Mijers, mijn ouders, en natuurlijk ook ik probeerden tevergeefs haar dit uit het hoofd te praten. Zij hield vol dat zij doodziek werd van Grieks, en dat zij hoe dan ook toch niet van plan was om te gaan studeren. Voor het eerst hoorde ik haar schamper spreken over onze school als een 'elite'-instelling, waar totokintellectuelen gekweekt werden voor leidinggevende banen in Indië. De meeste leerlingen wilden immers later, na de – bij voorkeur Leidse – universiteit, terugkomen naar het land van hun jeugd. – En die lui gaan altijd voor, bij het gouvernement en in het zakenleven!

In die tijd moet de vervreemding tussen ons, eerst nog sluipend, begonnen zijn. De bovenbouw van het gymnasium betekende voor mij: hard werken. Ik kon behoorlijk meekomen, maar was beslist geen briljante leerling. Dee en ik zagen elkaar minder dan vroeger. Ik merkte dat zij veranderde. Zij maakte een periode door van overdreven aandacht voor haar uiterlijk en voor uitgaan.

Van mevrouw Mijers mocht zij wel naar school- en huisfeesten (er ging geen zaterdag voorbij zonder dat er bij iemand een verjaarspartij werd gegeven), maar zij kreeg geen toestemming om, zoals veel meisjes uit haar klas op de driejarige deden, met Bataviase vrijgezellen te gaan dansen in Hotel des Indes of de Yachtclub aan zee. Mevrouw Mijers was in dat opzicht onverbiddelijk, net als mijn ouders. Dee en ik vonden onszelf eigenlijk te oud voor de fuiven in het gymnastieklokaal van het lyceum, of in de achtergalerij bij een klasgenoot thuis.

Wij waren al vrouwen in onze avondjurken, een half hoofd groter dan de meeste jongens, die er zelfs in een lange broek met jas en das nog kinderlijk uitzagen. Uit solidariteit ging ik wel altijd naar die feesten met hun geijkte programma van gezelschapsspelletjes (slofje onder, 'sur qui', charades) en dansen op grammofoonmuziek. De kaarsen in de lampions werden nooit later dan om middernacht gedoofd.

In het diepste geheim vertrouwde Dee mij toe dat zij regelmatig de verbodsbepalingen van haar grootmoeder overtrad, en, in plaats van naar een huisfuif, met een paar andere populaire meisjes en hun (altijd oudere) partners naar bekende dansgelegenheden ging. Zij leende dan lippenstift en een sophisticated jurk (zwart! met een blote rug!) van een schoolvriendin. Als het heel laat werd – en dat werd het meestal – bleef zij daar ook logeren.

Ik was bang dat zij mij voortaan te kinderachtig zou vinden. Maar haar vlaag van frivoliteit eindigde even plotseling als hij begonnen was. Uit het weinige dat zij losliet maakte ik op dat zij genoeg had van het min of meer verplichte 'toeren' ter afsluiting van zo'n avond. Men nam dan paarsgewijs een taxi voor een rit langs de Priokweg of door de donkere buitenwijken achter Manggarai. Alsof het vanzelf sprak werden de heren handtastelijk. Dee kwam in opstand tegen dat gebrek aan respect, het feit dat die mannen als bij stilzwijgende afspraak rekenden op een vrijpartij. Het meest voelde zij zich vernederd door de aanwezigheid van de inlandse chauffeur, die onbewogen strak voor zich uit bleef staren, maar van wiens verachting zij zich voortdurend bewust was. Juist omdat zij geen totok was, taxeerde hij haar, afgaande op het gedrag van de blanke man, als een hoer. Nooit eerder had zij zo pijnlijk haar Indo-zijn ervaren. De manier waarop zij mij dit alles vertelde deed me beseffen dat er iets wezenlijks veranderd was in onze verhouding. Zij stelde zich defensief op, alsof ik haar aanviel, haar verwijten maakte. In de tijd die volgde, leek zij voor haar doen ongebruikelijk teruggetrokken. Ik dacht dat ik de reden begreep toen zij met mooie cijfers slaagde voor haar eindexamen.

Op een dag vind ik haar, wanneer ik bij haar langsga, gebogen over boeken en schriften. Zij wil goed Maleis leren, niet de taal van de pasar, die we allemaal vlot spreken, maar het officiële Hoogmaleis, dat op kantoren gebruikt wordt en waarin de inlandse kranten geschreven zijn. Ook oefent ze zich in steno en typen. Zo zullen immers de banen die voor iemand als zij weggelegd zijn binnen haar bereik komen, zegt ze op een schampere toon die ik niet van haar ken.

Mevrouw Mijers is diep teleurgesteld in haar kleindochter, die door een dergelijke beroepskeuze, zoals zij het in mijn tegenwoordigheid uitdrukt, 'een stap terug zal zetten op de maatschappelijke ladder'.

'Oma Moes, het is malaise,' zegt Dee, luchtig, maar niet van harte. 'Op een kantoor krijg ik werk. De nonna is de beste secretaresse, toch?'

Zij steekt haar duim op 'Djempol!'

Zowel het woord als het gebaar zijn in dat huis ontoelaatbaar. Ik zie mevrouw Mijers diep ademhalen. Zij wendt haar hoofd af en blijft zwijgend naar buiten staren, waar de paarse bougainvillea overweldigend in bloei staat.

Sulawati Saleh, uit de parallelklas, die Sula genoemd wilde worden, kende ik van de lessen buitensport op het lyceum. Zij was een voortreffelijke kastiespeelster, kon hard lopen, en met het slaghout de bal raken als geen ander. Zij gold als een uitzondering tussen de toch al geëmancipeerde inheemse meisjes in onze scholengemeenschap. Ook zij die altijd westers gekleed gingen en allang geen vlechten meer droegen, hielden zich aan traditioneel ingetogen gedrag en waren op het verlegene af bescheiden. Sula sloeg nooit haar ogen neer. Zij maakte de indruk spontaan en direct voor haar mening uit te komen, was altijd present op de debatavonden van onze schoolclub, en onderscheidde zich dan door rake opmerkingen en vasthoudendheid in de discussie.

Dee was al een tijd van school toen ik bij toeval ontdekte dat zij met Sula omging, en dit voor mij verborgen hield omdat, zoals ze zei, Sula mij niet mocht. De reden voor die antipathie (nu verklaarbaar uit de tijdsomstandigheden) werd me destijds nooit duidelijk, en ook begreep ik niet waarom Dee zo geheimzinnig deed over deze vriendschap, die volgens mij geen bedreiging kon vormen voor de familieachtige band die er tussen ons beiden bestond.

Ik heb Dee weer gemist in het Tjikini-zwembad. Toen zij nog op school was, gingen wij daar elke dag na afloop van de lessen om half een, voor etenstijd, samen naartoe. Maar sinds zij die kantooropleiding volgt, tref ik haar steeds minder vaak bij onze vaste groep jongens en meisjes voor het gebruikelijke ontspannen programma van afwisselend plonzen, duiken, drijven en op de kant zitten kletsen.

Het is bijna half drie, in de lanen van de wijken Menteng en Tanah Abang heerst al de stilte van de middagrust. Bij het huis van mevrouw Mijers zet ik mijn fiets 'achter' neer en loop over de zijgalerij naar Dees kamer. Zij zit in haar onderjurk op de tegelvloer stencils te vouwen, die ze vervolgens een voor een, samen met wat eruitziet als losse nummers van een tijdschriftje, in grauwpapieren enveloppes schuift.

Mijn komst overrompelt haar, het lijkt alsof ze zich betrapt voelt, een vreemde reactie. Wanneer ik vraag: 'Wat ben jij aan het doen?' veegt ze haastig het over de grond verspreide drukwerk opzij. Ik raap een van die blaadjes op, te oordelen naar de afbeelding op de omslag een reclame voor medicinale kalktabletten en Purolzalf. De binnentekst is in het Hoogmaleis, dat ik niet goed lezen kan, al herken ik hier en daar een woord.

'Wat doe je, waar is dat voor?' herhaal ik.

Zij trekt de folder uit mijn handen en bergt dan alle papieren op in een kastje, dat ze afsluit.

'Ik help Sula, voor haar studieclub,' zegt ze tenslotte.

Het is algemeen bekend dat Sula na haar eindexamen wil gaan studeren aan de Bataviase Rechtshogeschool. Op het lyceum geldt dat eens te meer als een blijk van haar onafhankelijkheid binnen het milieu waartoe ze behoort. Ik heb respect voor haar moed, want ik weet uit gesprekken met andere, minder zelfbewuste en doortastende inheemse meisjes dat een universitaire studie, vooral door de consequenties daarvan, beschouwd wordt als een onherstelbare breuk met de traditie. Maar Sula's ouders, die afkomstig zijn uit de matriarchale cultuur van de Padangse Bovenlanden op Sumatra, steunen haar. En zij is dus blijkbaar al lid van een club voor aankomende studenten! Dee zegt dat Sula dit klaarmaken van post-stukken niet thuis kan doen. En ook mevrouw Mij-ers mag er niets van weten. Ik ben niet gewend dat Dee geheimen voor mij heeft en blijf doorvragen.

Gaat het om een bijbaantje van Sula, voor zakgeld? Irmscher, de grote drogisterij-apotheek van Batavia, adverteert in de kranten met net zo'n plaatje als dat op de brochure, van een man in witte jas, die verma-nend zijn wijsvinger opsteekt, en een gemengd Eu-ropees en inheems gehoor producten voor tand- en huidverzorging aanbeveelt. Dat Sula niet wil dat een en ander bekend wordt kan ik me goed voorstellen, het zou in haar omgeving als beschamend ervaren kunnen worden, afbreuk doen aan de status van haar ouders. Ik bied aan om mee te helpen.

De manier waarop Dee mijn voorstel afwijst, maakt dat ik voor de zoveelste maal een poging doe om die eigenaardige hindernis tussen Sula en mij te over-bruggen. Ik zou graag ook haar vriendin zijn, net als Dee. Zijn die leden van Sula's club allemaal inlandse studenten? Die beschouwen mij zeker als een echte Belanda-totok. Dee, die mij kent, kan toch duidelijk maken dat ze zich vergissen?

Maar nu barst Dee los in een woordenstroom die me kwetst, omdat wat ze zegt voor mijn gevoel ner-gens op slaat. Ze vraagt zich af wat ik, Herma, eigen-lijk af weet van die lui. Ik heb immers alleen te ma-ken met bedienden die zich laten commanderen, of met de Javaanse regentendochters op school, die in een eigen elitaire wereld leven. Maar met mensen zoals de vrienden van Sula heb ik nooit gepraat. Ik heb geen benul van wat er in hen omgaat. Hoe zij over mij denken, en over alle Belanda's, en over de stomme Indo's die doen alsof ze Belanda's zijn. Verdiep ik me wel eens in de gevoelens van de inlandse intellectuelen die altijd als onmondige wezens behandeld worden? Kan ik me voorstellen wat het wil zeggen in je eigen land te behoren tot mensen van een mindere soort? Ik doe wel heel aardig over Sula en over Javaanse en Ambonese medeleerlingen, maar kijk ik eigenlijk niet ook op hen neer?

'Zij voelt dat, weet je!' zegt Dee heftig.

Ik vind geen woorden om haar van het tegendeel te overtuigen.

Buiten is het gaan waaien, de zon schijnt door het loof van de bomen naast het huis, er ligt een patroon van bewegende licht- en schaduwplekken op de tegelvloer van de galerij.

Geachte mevrouw Warner,

Ik heb nu wel een globale indruk van Mila Wychinska's (of Dee Mijers') achtergrond en schooltijd. Vooral interesseert me uw mededeling over haar contact, via de door u genoemde vriendin Sula Saleh, met een vereniging van Indonesische studenten. Dat zou de PPPI geweest kunnen zijn, de Perhimpoenan Peladjar-Peladjar Indonesia, met een uitgesproken nationalistisch karakter. Er was toen ongetwijfeld bij een aantal leden al sprake van een revolutionaire tendens.

Ik vraag me af of deze Sula Saleh familie was van Chairul Saleh, ooit een van de topfiguren van de PKI, de 'nationale' Indonesische communistische beweging, en de leider van de radicale jongeren die in 1945 na de nederlaag van Japan Soekarno gedwongen hebben de republiek uit te roepen. Saleh heeft ook een rol gespeeld bij de beruchte poging tot een staatsgreep in Jakarta van 30 september 1965. Een specialist op het gebied van de politieke ontwikkelingen in Zuidoost-Azië noemt hem 'een economische avonturier en bekend terrorist', deze laatste kwalificatie uiteraard vanuit de optiek van vijfentwintig jaar geleden, toen Soeharto president werd.

Onder de boeken die tot de zogenaamde Indische bellettrie gerekend worden, vond ik onlangs bij toeval in een antiquariaat een vermoedelijk autobiografische korte roman 'Herkenning', uit 1960 en van een auteur die zich Eugène Mijers noemt. Voorzover ik kan nagaan heeft hij niets anders gepubliceerd. Het boek is destijds enkele malen herdrukt, maar nu niet meer in de handel. Kent u het ook? Zo niet, dan stuur ik het u graag toe.

Hij beschrijft de jeugd van een ikfiguur in het vooroorlogse Batavia, en diens relatie met een alleen bij de voornaam Amy aangeduid nichtje. Zou dat Dee Mijers kunnen zijn?

Ik begrijp dat u zich wilt beperken tot strikt functionele gegevens, en dat u herinneringen met een privé-karakter als 'out of bounds' beschouwt. Toch hoop ik dat u ter wille van een beter inzicht in de persoonlijkheid en de drijfveren van de intrigerende figuur die Mila Wychinska geweest is, ook iets meer kunt vertellen over haar uiterlijk, gedrag, gewoonten. Er zijn beslist overeenkomsten aan te wijzen tussen wat u me al wist te melden (hoe summier ook), en het beeld dat Eugène Mijers schetst van die 'Amy', in wie hij een kruising ziet van een Indische Jeanne d'Arc en een Mata Hari, in ieder geval iemand met eigenschappen die niet onverenigbaar zijn met de indruk die Mila Wychinska blijkbaar bij veel mensen achtergelaten heeft.

Mag ik erop rekenen dat u dat formidabele geheugen van u nog eens een keer zult aanspreken?

Met hoogachting en vriendelijke groet,

Bart Moorland

Het kon eigenlijk niet uitblijven dat Moorland op de proppen zou komen met het boek van Eugène Mijers. Het is dertig jaar geleden verschenen, en Eugène leeft allang niet meer, maar voor de mensen die na de soevereiniteitsoverdracht (en zeker na '57, toen Soekarno alle betrekkingen met Nederland verbrak) met pijn in het hart hun 'land van herkomst' verlaten hebben, geldt hij, ook postuum, nog altijd als een ijkmeester wat de Indische identiteit betreft. Dat juist hij zo actief is geweest als vertegenwoordiger en felle pleitbezorger van de Indo-cultuur, bleef me verbazen in de loop der jaren, telkens wanneer ik er iets van hoorde of zag. Eenmaal, ik geloof in 1962 of '63, ben ik in Den Haag naar hem gaan luisteren toen hij sprak over Indische schrijvers. De verschijning van de polemist in batikhemd, die de oude en nieuwe grieven van de 'ballingen uit Indië' zo bijtend scherp onder woorden bracht, viel moeilijk te rijmen met het beeld dat ik in mijn herinnering bewaar aan die verre neef van mevrouw Mijers uit een onvermengd blanke zijtak van haar mans familie.

Dee noemde hem de 'totok-Mijers'. Hij kwam vaak theedrinken. Als het toevallig zo trof dat ik er dan ook was, hadden wij de grootste moeite ons ge-

zicht in een beleefde plooi te houden tijdens de ein-
deloze verhandelingen waarin hij zijn politieke en
maatschappijkritische opinies ten beste gaf. Meestal
ging het over de volgens hem ontoereikende maatregelen van het gouvernement ten aanzien van de op-
rukkende volkeren van Azië, met name het 'Gele Gevaar'. Wel juichte hij de houding van de conservatie-
ve gouverneur-generaal De Jonge toe, die tenminste
al te brutale en vermoedelijk vanuit communistisch
China beïnvloede voorstanders van inlands zelfbe-
stuur had laten oppakken en naar Boven-Digoel trans-
porteren. Europeanen moesten zich in het licht van
de dreiging uit het Verre Oosten weerbaar opstellen!

In zijn keurige shantoeng pakken, die dezelfde
onbestemde beigeachtige tint hadden als zijn haar
en zijn gezicht, vond mevrouw Mijers hem een 'ge-
distingeerde' jongeman, die ze graag bij zich thuis
ontving. Zij luisterde ook steeds aandachtig knik-
kend naar hem, al zei ze later wel tegen ons dat hij
naar haar oordeel de toestand te somber inzag.

Hoewel hij zich tijdens zijn bezoeken weinig met
Dee bemoeide, werd het langzamerhand duidelijk
dat hij wel degelijk een speciale belangstelling voor
haar had, en dat mevrouw Mijers hem in dat opzicht
niet tegenwerkte. Hij was minstens tien jaar ouder
dan Dee, adjunct-secretaris van de Commissie van
Bijstand voor de Posterijen, en had volgens mevrouw
Mijers uitstekende vooruitzichten als gouvernements-

ambtenaar. Dee vond hem saai en arrogant en liet dat gewoonlijk ook duidelijk merken. Daarom verbaasde het me dat zij toch soms zijn uitnodigingen aannam voor bioscoopbezoek of om ijs te gaan eten in de stad. Op mijn vraag of hij bij die gelegenheden niet 'vervelend' werd, antwoordde ze dat er niets aan de hand was zolang zij hem maar liet praten – hij deed immers niets liever! – over zijn baan, en zijn contacten en relaties op de verschillende departementen. Op die manier had zij, wanneer zij tenminste luisterde, al heel wat 'inside information' gekregen over zaken die niet in de krant stonden. Zij wist nu bijvoorbeeld dat de gouverneur-generaal sinds kort al het via de post binnenkomende drukwerk streng liet controleren op een inhoud die gevaarlijk zou kunnen zijn voor de rust en orde in Indië. Dee begreep wel dat Eugène die vertrouwelijke zaken vertelde om indruk op haar te maken. Zij vond zijn gewichtigdoenerij belachelijk. Tot geruststelling van mij en Non (die hem niet kon uitstaan) zag Eugène na een tijd uit eigen beweging af van de uitstapjes met Dee, bij wie hij immers geen schijn van kans had, en op den duur ook van de theevisites bij mevrouw Mijers.

Nooit had ik kunnen denken dat Eugène zich nog eens als auteur zou ontpoppen, al wisten we destijds wel dat hij soms iets schreef voor geïllustreerde tijdschriften als *d'Orient* en *Actueel Wereldnieuws*. Door Moorland werd ik herinnerd aan het bestaan van *Herkenning*. Ik heb het boek weer eens uit de kast genomen en gelezen. Over de literaire kwaliteit kan ik niet oordelen. Misschien zijn de stijl en het taalgebruik nu wel gedateerd. Wat me het meest treft is de manier waarop Eugène zich vereenzelvigd heeft met een milieu waarin hij eigenlijk helemaal niet thuishoorde. In zijn uiterlijk, zijn spreken, was hij het toonbeeld van een pur sang Hollandse jongen met tropenteint en een licht Indisch accent, zoals haast iedereen heeft die daar is opgegroeid. Maar niemand zou hem ooit verslijten voor de 'blanke Indo' waar hij zich later, in interviews, voor uitgegeven heeft. Als zodanig heeft hij in het naoorlogse Nederland zijn reputatie gevestigd als arbiter van wat 'Indisch' mag heten.

Dat geïdealiseerde alter ego van Eugène staat in zijn roman centraal als ikfiguur, telg van een oude, echt Indische familie. Telkens kom ik brokstukken tegen van mevrouw Mijers' Pakembangan-verhalen. Zij vooral is heel herkenbaar in de voorname, dominerende, maar naïeve mater familias Amélie. Een vilein vertekend beeld van Non zie ik in de donkere vrouw die als een kwade genius op de achtergrond onheil afroept over haar omgeving. Dat Eugène destijds wel degelijk amoureuze gevoelens koesterde voor Dee, blijkt uit zijn beschrijving van het frivole nichtje Amy, een beeldschoon geraffineerd kreng, met wie de 'ik' flirt en gaat dansen in Des Indes (een wensdroom van hem?). Maar tijdens de Japanse bezetting ontpopt zij zich als een heldin van het verzet. Zij wordt gevangengenomen en onthoofd.

Hoe de metamorfose van Eugène Mijers te verklaren? Ik denk dat hij buitengewoon eerzuchtig was en al in die vooroorlogse jaren hoopte ooit met zijn ideeën invloed te kunnen uitoefenen op de Nederlands-Indische maatschappij. Tussen 1945 en de soevereiniteitsoverdracht moet hij een mogelijkheid tot activiteit ontdekt hebben in het allang bestaande streven van hoogopgeleide Indo-europeanen om een (vanwege hun afkomst beter aan Indische omstandigheden aangepaste) schakel te vormen tussen de regering in Nederland en de volkeren van de archipel. Ik hoorde mijn vader wel eens met bezoek praten over de groeiende ontevredenheid van Indo-ambtenaren over de voorkeursbehandeling die kersvers uit patria gearriveerde, en maar voor de duur van hun dienstverband op een tropenbestaan ingestelde 'volbloeds' kregen.

Toen het na de Japanse nederlaag duidelijk werd dat in Indië de vroegere verhoudingen niet zouden terugkeren, leek er even een constructieve rol weggelegd voor degenen die zichzelf altijd al van nature als blijvers hadden beschouwd. Eugène Mijers koos ervoor bij die uiteindelijk teleurgestelde, ontheemde groep te horen, creëerde zijn eigen afstamming van een Indonesische voormoeder, en een apocriefe, sterk door de Indische sfeer en gewoonten beïnvloede jeugd op Java. In die lezing van hem, die ik bijwoonde, hoorde ik hem vol emotie vertellen over een lieve trouwe baboe die hem in haar slendang gedragen en met haar Javaanse wijsheid opgevoed had.

In zijn beschrijving herkende ik, althans wat het uiterlijk betreft, Moenah, de 'lijfmeid' van mevrouw Mijers. Die bijdehante, altijd wat norse vrouw zou vreemd opgekeken hebben van de bewoordingen waarin zij tot romanfiguur verheven werd, en dan nog wel door Eugène, die haar niet zag staan wanneer hij op theevisite kwam. Eigenlijk had ik toen, in 1962, na afloop van de lezing naar hem toe willen gaan, om te vragen of hij soms nieuws had over Dee en Non, maar ik zag ervan af omdat ik begreep dat hij zich eerder opgelaten dan aangenaam verrast zou voelen als ik me bekendmaakte. Waarom zou ik hem die andere identiteit niet gunnen? Hij ontleende er een status aan die zijn leven zin gaf.

In het postscriptum van zijn laatste brief vestigt Moorland mijn aandacht op wetenschappelijke publicaties: 'Politiek-Politionele Overzichten van Nederlands-Indië'. Hij stuurde mij een samenvatting van bepaalde gebeurtenissen en maatregelen in de jaren dertig. Dat er een streng gehandhaafd verbod bestond op de invoer en verspreiding van periodie-

ken en tijdschriften met een in politiek opzicht on-
wenselijk geachte inhoud, heb ik me toen niet gerea-
liseerd. Mijn ouders spraken in mijn tegenwoordigheid nooit over dergelijke zaken. Ik denk dat mijn
vader zich, als gouvernementsdienaar, strikt hield aan
zijn verplichting tot discretie, ook in de huiselijke
kring. Mijn moeder, altijd geneigd tot optimisme,
overtuigd dat met goodwill en geestdrift elke tegenstelling gladgestreken, ieder conflict voorkomen kon
worden, zal eenvoudig niet geloofd hebben aan de
ernst van bepaalde ontwikkelingen.

Pas in '67 hoorde ik in Jakarta van iemand die zelf
voor de oorlog een fanatiek-geëngageerde rechten-
student was geweest, dat er destijds vanuit een centraal actiebureau in Brussel regelmatig revolutionaire informatie naar Indië gestuurd werd in de vorm
van reclame voor onder andere geneesmiddelen of
cosmetische artikelen. Verpakt tussen onschuldige
folders in identieke omslag kwamen die terecht bij
een ingewijde op een onverdacht adres, en werden
dan van daaruit gedistribueerd. Volgens mijn zegs-
man betrof het onversneden communistische propaganda, waar nogal wat jonge nationalisten, onder
wie hijzelf, op den duur afstand van genomen hadden. Ik vraag mij af hoe ooit achter de rug van mevrouw Mijers om een dergelijke zending per post
aan haar huis bezorgd kan zijn. Als Sula Saleh inderdaad behoorde tot de naaste familie van iemand die

toen al door de politieke inlichtingendienst in de gaten gehouden werd, had zij geen betere camouflage kunnen bedenken dan de omgang met de kleindochter van een Indische 'grande bourgeoise'.

Ik merkte dat Dee mij niet in vertrouwen wilde nemen, en dat was volgens mij niet te rijmen met onze vriendschap. Hebben haar gevoelens van solidariteit met de groep van Sula, en haar verlangen bij hen te horen, zwaarder voor haar gewogen dan het besef dat ik haar nooit verraden zou? Of heeft zij mij niets verteld omdat zij mij niet wilde betrekken bij iets wat in die tijd immers strafbaar was?

De vanzelfsprekendheid waarmee de Nederlanders maatregelen en organisatorische structuren, ooit ontworpen om zakelijke belangen te kunnen behartigen, gaandeweg hebben omgebogen tot een opperheerschappij in de archipel, en ieder verweer tegen hun aanwezigheid en optreden als illegaal en subversief hebben behandeld, begin ik steeds ongelofelijker te vinden. Ik moet dan aan Dee denken, die blijkbaar destijds al begreep dat vrijheid van meningsuiting en politieke oppositie onmisbaar zijn in een democratie, en dat er in onze kolonie wat dat betreft geen democratisch systeem bestond. Hoeveel Indonesiërs hebben Nederlands-Indië als een politiestaat ervaren?

Valt er uit Dees keuze voor Sula en de studentenactivisten voor en tijdens de Japanse bezetting iets op te maken over haar eigen politieke overtuiging? Ik proef uit de vragen van Moorland dat hij daarop aanstuurt. Zelf heb ik haar horen zeggen dat zij er nooit ook maar een ogenblik over had gedacht Indonesisch staatsburger te worden. Dat zij sympathiseerde met de nationalisten kwam, denk ik, voort uit de kritiek op de Indische samenleving die zij als meisje al had. Maar die betrof in de eerste plaats de verkapte vormen van discriminatie jegens Indo-europeanen in onze eigen 'betere kringen', waar ik pas veel later oog voor gekregen heb, al voelde ik soms intuïtief wel dat er sprake was van een scheve verhouding tussen officiële voorkomendheid en onderhuidse reserve.

Mijn ouders waren oprecht gesteld op Louis Mijers (van alle mensen met wie wij omgingen was hij onze enige echte huisvriend), maar soms had ik, ook als kind al, de indruk dat er ondanks alle hartelijkheid en camaraderie een haast onmerkbaar wederzijds voorbehoud bleef bestaan. Mijn ouders leken zich daar niet van bewust, of misschien vonden zij het vanzelfsprekend. Louis kon soms op iets wat zij deden of zeiden reageren met tartende plagerij, op de grens van boosaardigheid, of zich even met een strak gezicht afwenden, duidelijk op zijn hoede. Maar in een flits was zo'n breuk in de goede stemming weer voorbij.

In dit verband moet ik denken aan de opmerking die ik mijn moeder ooit hoorde maken over dat 'pinter boesoek', die veronderstelde kwade karaktertrek van Louis. Nooit werd die eigenschap nader verklaard, of werd er een voorbeeld van gegeven.

Blijkbaar gold het als een aanvaard aspect van zijn persoon, net als het feit dat hij nu eenmaal een 'playboy' was.

Mijn vader betreurde dat wel, maar gaf zich ook geen moeite Louis tot andere inzichten te brengen. Getuigde die houding van respect voor een ander levenspatroon, of school er iets neerbuigends in, iets van: 'Soedah, laat maar, het geeft toch niet'?

Dee ligt voorover op haar bed, haar gezicht in het kussen.De goeling heeft zij naar het voeteneinde geschopt. Als ik haar schouder aanraak, begint zij als een furie met gebalde vuisten op de matras te beuken.

'Pa is weg! Hij is weg! Zonder mij! Als ik hem weer zie, schop ik hem dood!'

Zo kom ik te weten dat Louis Mijers eindelijk gedaan heeft wat hij al een paar jaar van plan was: naar Brazilië gaan om daar grond te kopen voor een nieuw Pakembangan. Hij heeft er bij ons thuis wel eens over gesproken, maar mijn ouders geloofden niet dat hij het werkelijk meende. 'Een mestiezencultuur' noemt mijn vader dat land, als Louis het niet hoort.

Het is schemerdonker in Dees kamer, zij heeft al uren zo gelegen, en de kree niet opgehaald toen de stand van de zon dat toeliet. Sinds we kinderen waren is hier niets veranderd. Nog altijd staan er de lage stoeltjes, door een meubelchinees gemaakt, en de ligbank uit de Compagnietijd, een erfstuk van de Muntinghs, waar ik toen ik klein was op mocht slapen wanneer ik bij Dee logeerde, onder een aan een haak in het plafond opgehangen reisklamboe. Vanaf die bank zit ik nu naar Dee te kijken. Helemaal nieuw is voor mij wat zij driftig snikkend vertelt, dat Louis beloofd heeft haar mee te nemen naar Brazilië. Ik begrijp ineens dat zij meer contact met haar vader heeft gehad wanneer die weer eens in Batavia was dan zij wil toegeven, en dat haar verlangen om met hem mee te gaan voortkomt uit een gevoel van solidariteit waar ik nooit iets van heb gemerkt. Ook aan mevrouw Mijers en Non blijkt zij niets over die plannen te hebben verteld. Die twee beschouwt zij als te stom voor woorden in hun verknochtheid aan een Indische wereld die allang niet meer bestaat. Haar pa heeft het tenminste begrepen, die wil ergens leven waar hij op voet van gelijkheid kan inburgeren. De meeste Brazilianen zijn immers halfbloeden! God, wat ergert zij zich aan haar grootmoeder, die denkt dat zij nog altijd bij de Bataviase upper ten hoort, met haar lunches en comités, en niet beseft hoe de poeslieve totoks achter haar rug praten over

113

de pretenties van iemand wier dochter 'zo zwart is als m'n laars'. En behalve die Hollandse mevrouwen zijn er de adellijke Soendanese dames uit families die land hebben gehad dat ooit door de Muntinghs is gekocht; dat vergeven zij niet, zij kijken van torenhoogte op oma Moes neer.

Dee heeft zich eindelijk omgedraaid, zij zit nu rechtop tegen de witgelakte ijzeren spijlen aan het hoofdeinde van haar bed en veegt haar behuilde gezicht af. Ik zeg dat zij het zich allemaal verbeeldt, of dat zij overdrijft, maar dan valt zij tegen mij uit: 'Jij weet helemaal van niets, jij bent blank! Stel dat jij een broer had, denk je dan dat die met mij zou mogen trouwen, of dat jouw ouders het goed zullen vinden wanneer jij met een Indische jongen thuiskomt?'

'Zo zijn mijn ouders niet, je kent ze toch!' roep ik.

Dee snuift en wendt haar blik af. Na een stilte begint ze onthullingen te doen over dingen van voor onze geboorte, waar ik thuis maar vaag iets over heb gehoord. Ik weet wel dat Louis Mijers zoals dat heet een 'aanbidder' van mijn moeder is geweest, maar ik heb me dat altijd voorgesteld als min of meer schertsend gedoe in de sfeer van dansavonden in de soos. Dee vertelt me nu dat het menens was, eerst ook van de kant van mijn moeder, maar dat mijn grootvader toen Louis bij zich geroepen en hem in niet mis te verstane bewoordingen aan het verstand gebracht heeft dat er geen sprake kon zijn van een verloving. Zij bleven elkaar stiekem zien, waarbij mijn vader, immers Louis' beste vriend, als chaperon fungeerde. Bij wijze van spreken onder Louis' ogen zijn die twee verliefd op elkaar geworden, en in dat geval was er natuurlijk ineens geen sprake van 'mag niet'! En dan de kwestie met Non!

'Dat weet je ook niet, hè?' zegt Dee uitdagend. 'Non was smoor op je vader toen die hier in het paviljoen woonde, dat heeft Moenah me verteld, en oma Moes hoopte dat het geld van onze familie zou helpen, zij had hem graag als schoonzoon gehad, ook vanwege de kleurverbetering! Wat kijk je nou verschrikt, zo stom! Maar jouw pa heeft niet eens doorgehad dat Non hem wou. Waarom denk je dat zij zo dol op jou is? Jij bent zijn kind, en nu doet ze alsof jij ook haar kind bent. Haar Toet! Kassian, toch!'

Ik hielp Non graag met het verzorgen van de orchideeën. Behalve het voorzichtig verwijderen van uitgebloeide bloemen en beschadigd of oud blad vertrouwde zij mij op den duur ook ingewikkelder en niet altijd even aangename karweitjes toe. Zij had een grote verzameling planten van het type Dendrobium veratrifolium, met rijke trossen van vooral lila en paarsroze bloemen. Omdat die, fors en hoog groeiend in hun ruime potten, soms maandenlang in volle bloei bleven, gaven ze de pendoppo een feestelijk aanzien waar ik nooit genoeg van kreeg. Door onverklaarbare oorzaak werden ze zo nu en dan de prooi van kevertjes, die hun larven op de bladeren deponeerden. De slijmerige rupsen verpopten zich (dat zag eruit als vlokken ingedroogd zeepschuim), en dan was het zaak de nieuwe lichting beestjes met de hand te vangen en dood te knijpen. Voor het behoud van de mooie bloemen had ik graag kleverige vingers over.

Mijn favoriet onder de orchideeën was de anggrek boelan, de witte maanbloem, rond van vorm, sneeuwwit, soms met tien kelken tegelijk bloeiend aan een lange stengel. Juist deze betoverende soort had vaak te kampen met een ziekte waartegen geen kruid gewassen bleek. Waren de bladeren te nat geworden door binnenwaaiende regen of overdadig begieten (aan dat laatste maakte de kebon, die ook wel eens meehielp, zich tot wanhoop van Non herhaaldelijk schuldig), dan ontstonden er doorschijnende vlekken in het bladgroen, die zwollen tot blaren, gevuld met een stinkende zwarte pap. Om te voorkomen dat de zieke plant zijn buren zou besmetten, werden om te beginnen de aangetaste bladeren zo grondig mogelijk weggesneden. Maar gewoonlijk kwam het erop neer dat we binnen een paar dagen een hele rij varenwortelturven met hun aanhang van rottende resten anggrek boelan moesten opruimen en verbranden. Elke keer opnieuw schrok ik van de onver-

biddelijke gang van zaken waardoor die blanke bloe-
menpracht zienderogen in vieze brij veranderde.

Zolang als ik mij kan herinneren heeft de zwarte ebbenhouten kist bij ons thuis gestaan, in mijn vaders
werkkamer. Aan bezoekers die de rijk bewerkte
plakkaten koperbeslag uniek noemden, vertelde hij
meestal hoe hij aan de kist gekomen was. Ontelbare
malen heb ik het verhaal gehoord.
    Op een van zijn dienstreizen, ergens in de binnen-
landen van Sumatra, had hij te maken met een assis-
tent-districtshoofd die voor zijn pelgrimage naar
Mekka net zo'n hutkoffer met beugels en zinkvoe-
ring zocht als het onverwoestbare exemplaar dat
mijn vader bij zich had. Hij gaf er graag de door
mijn vader bewonderde sierkist voor in de plaats. Be-
sefte de man de waarde van het antieke voorwerp
wel? Hij wilde niet van een extra vergoeding weten,
omdat, zoals hij zei, de 'ziel' van de kist geen gel-
delijke transactie verdroeg. Mijn vader begreep de
wenk, en verzekerde hem dat er alleen goede dingen
in bewaard zouden worden. Ieder jaar mocht ik mijn
overgangsrapport leggen bij de huwelijksakte van
mijn ouders, de familiefoto's, de documenten met
betrekking tot de aanstelling en promoties van mijn
vader, het *Bataviaas Nieuwsblad* met mijn geboorte-
aankondiging, de bundels intieme correspondentie.
Dan opende en sloot ik eigenhandig de kist met de

grote decoratieve sleutel, die moeilijk ronddraaide in het stroefgeworden slot. Ik moest kracht zetten, en dus hard knijpen in het 'oog' van de sleutel. De verstrengelde lijnen van het ornament (ook mijn vader dacht dat het eeuwenoud Arabisch schrift was) waren scherp en lieten een afdruk achter op mijn vingertoppen.

In het kader van een onderzoek naar mogelijkheden voor een studentenuitwisselingsproject kreeg Taco in 1952 de kans oriënterende besprekingen te voeren aan een paar universiteiten op Java. Ik reisde voor eigen rekening met hem mee. Het verlangen naar ons geboorteland liet zich niet onderdrukken, ook al wisten we beiden dat de onbevangenheid waarmee we ooit die wereld ervaren hadden voorgoed verdwenen was. Taco hoopte dat mede door zijn bemiddeling blijvende toekomstige contacten konden worden gelegd. Hoewel hij uiterst correct ontvangen werd, kwam er niets van de grond. Hij was van plan geweest contact op te nemen met een paar Indonesische intellectuelen die zijn ouders gekend hadden, maar algauw bleek dat deze mensen weinig gehoor vonden bij de bureaucraten van het Soekarno-regime.

Toen ik voor het eerst Non terugzag, in het inmiddels volledig door de kampong opgeslokte huisje van Oom Boedi en Tante Neng, gaf het mij een schok daar de ebbenhouten kist te vinden, het enige bewaard gebleven meubelstuk uit de inboedel van mijn ouders. Voor zij door de Japanners geïnterneerd werden, hadden zij het toevertrouwd aan Non, wier uiterlijk haar zozeer tot overwegend 'Indisch' stempelde dat zij buiten de kampen kon blijven. Mevrouw Mijers, met haar Franse vader, beschouwde het als een uitgemaakte zaak dat zij het lot zou delen van de volbloed Nederlandse vrouwen in Batavia. Dat Dee, die ook aanspraak kon maken op een voor de helft zuiver Europese afkomst, openlijk de nadruk legde op de Aziatische genen van de families Muntingh en Mijers, en er, nu zij eenentwintig en mondig was, voor koos als Belanda-Indo geregistreerd te worden, vond mevrouw Mijers onbegrijpelijk en onvergeeflijk.

In een verschrikkelijke scène had zij Dee 'verstoten', zoals Non het noemde, en dat erge nog vele malen verergerd door te verklaren dat naar haar overtuiging Dee niet eens van de Muntinghs en de Mijers afstamde, maar bij haar slet van een moeder verwekt was door een van die Russische artiesten, of door God mag weten wie, voor zij Louis verleid had.

Dee reageerde even kalm als hooghartig: zij was blij eindelijk de ware reden te kennen van mevrouw Mijers' afkeer en van Louis' onverschilligheid jegens haar, die zij altijd had gevoeld en waar zij als kind in stilte onder geleden had. Graag deed zij afstand van de naam die zij misschien ten onrechte droeg. Voortaan wilde zij Wychinska heten.

Als een verbannen vorstin was mevrouw Mijers met haar koffers, bultzak en klamboe op de vrachtwagen geklommen die haar en andere vrouwen uit haar wijk naar het interneringskamp Tjideng zou brengen. Niet een keer had zij omgekeken naar Non en de bedienden, die tot aan het begin van de oprit met haar meegelopen waren om haar bagage te dragen. Heeft mevrouw Mijers de nieuwe status van haar dochter als een nog moeilijker te dragen gezichtsverlies ervaren dan de vrijwillige keuze van Dee?

Het huis met de gehele inboedel was gevorderd door de Japanse autoriteiten. Non had al wat zij aan paperassen kon vinden in mevrouw Mijers' secretaire en in Louis' vroegere kamer, bij de dingen van mijn ouders in de ebbenhouten kist gepropt, en die meegenomen naar het huis van Boedi en Neng. Daar was zij ook blijven wonen.

Nu mevrouw Mijers dood was, en Louis vanuit Brazilië nooit meer iets van zich liet horen, had zij zich de documenten met betrekking tot Pakembangan toegeëigend. De zoon van 'je weet wel wie', die met zijn moeder de oorlogsjaren in Australië had doorgebracht, probeerde hardnekkig – maar tot Nons tevredenheid zonder resultaat – erkenning te krijgen als beheerder van dat voormalige Nederlandse landbouwbedrijf.

Non koesterde sinds zij Indonesische geworden was een droom: zij wilde daarover alleen vertellen dat Pakembangan de ideale locatie zou zijn voor een grote bloemkwekerij. Er hingen wat orchideeënplanten aan de dakrand van het achtergalerijtje, waarschijnlijk nakomelingen van de enige exemplaren die zij had kunnen redden uit haar pendoppo. Wat had ik een medelijden met haar, wat voelde ik mij machteloos. Het beetje financiële steun dat ik haar kon bieden was krap toereikend voor een bestaan in de kampong.

Ik wist nu hoe moeilijk zij en Boedi en Neng het gehad hadden tijdens de Japanse bezetting, hoe zij in leven bleven door het ruilen en verkopen van kleding en huisraad. Sinds Pakembangan gevorderd was, had Boedi zijn 'pensioen' niet meer gekregen, maar wel van tijd tot tijd nog wat rijst en groenten kunnen halen bij oude bekenden op de onderneming. Neng maakte snoepgoed en koekjes, Non breide en haakte kinderkleertjes volgens patronen die zij zich herinnerde van de lessen op school bij de zusters ursulinen. Boedi ging met de handel langs de huizen.

'Nu moet jij de kist meenemen naar Holland,' zei Non. 'Het album van Pakembangan zit erin, dat is voor jou, jij vond die foto's altijd zo mooi, toch?'

Het kostte mij de grootste moeite haar aan het praten te krijgen over Dee. Op de manier die ik zo goed van haar kende, antwoordde zij ontwijkend, of bleef met afgewende blik zwijgen. Toch heeft zij mij toen tenslotte wel iets verteld. Zij bezwoer me dat Dee in geen enkel opzicht ooit pro-Nippon was geweest – verre van dat! – maar dat zij wel vanwege haar hbs-talenkennis en haar kantooropleiding gedurende de jaren van de bezetting een goede baan had gehad op een bank. Behalve in dienstverband ging zij niet met Japanners om. Wat dat betreft trok zij een lijn met Sula Saleh en de nationalistische intellectuelen, die zich ook op twee niveaus bewogen, de indruk wekten dat zij bereid waren tot samenwerking met de bezetter, maar tegelijkertijd in het geheim hun strijd om onafhankelijkheid voortzetten. Al werd Dee nooit echt aanvaard door de militante groep van Sula, zij was vanwege haar werkkring wel bruikbaar.

Non verafschuwde die dubbelzinnigheid. Zijzelf was loyaal gebleven ten opzichte van Nederland, net zoals Boedi en Neng en de meeste niet-geïnterneerde 'kleine Indo's' die zij kende. Het was voorgekomen dat Nederlandse vrouwen in het Tjideng-kamp geweigerd hadden voedsel aan te nemen dat de als landverraadster beschouwde Dee naar binnen had willen smokkelen. Non en ook Moenah, die steeds via kieren en gaten in de omheining contact hadden gehouden met kampbewoonsters, waren ervan overtuigd dat mevrouw Mijers niet omgekomen was door honger of ziekte, maar omdat zij zich letterlijk doodgeschaamd had.

Non vertelde dit alles met zachte stem, zonder mij aan te kijken, terwijl de twee oude mensen onbeweeglijk op de achtergrond bleven zitten in hun kleine schemerdonkere binnengalerij. Ik vroeg mij af waarom Non mijn vragen met betrekking tot Dee zo ontwijkend beantwoordde. Natuurlijk wilde ik weten hoe het met Dee ging, waar zij was, wat zij deed. Die naamsverandering, hoe verrassend ook, maakte voor mij niets uit, en ik was er zeker van dat die voor mijn ouders ook geen enkele rol gespeeld zou hebben. Er was iets anders, dat ik niet begreep, en dat ik in de korte tijd van mijn verblijf in Jakarta hoopte te ontdekken.

Als ik tegen Non zeg dat ik het huis weer wil zien waar ik met mijn ouders gewoond heb, en vraag of zij met mij meegaat, wordt haar blik dof. Heel haar houding drukt afweer uit.

'Waarom, Toet, het is daar nu niet meer zo als toen. Een lelijke buurt, altijd rommel, en vies. En ook gevaarlijk, met boeaja's die je tas afpakken, je weet toch, die lui...'

Ik verwacht niet dat ik het huis zal terugvinden zoals ik het gekend heb, daarvoor heb ik al genoeg rondgekeken in het naoorlogse Jakarta. Ik wil wel alleen gaan, maar dat staat zij niet toe.

Met een betjak rijden wij naar het vertrouwde adres. Nog steeds dragen de lanen in die wijk de namen van vroeger, namen van vruchten en bergen. Wel is het er veel schaduwrijker, de boomkronen zijn boven de weg naar elkaar toe gegroeid, veel tuinen zijn een wildernis. Hier en daar gaapt een open ruimte, waar een huis afgebroken is. Op de straathoeken zijn warong-winkels en bengkel-werkplaatsen verrezen. Kuilen en gaten in het asfalt maken de rit tot een waagstuk. Het is opvallend stil in deze buurt.

Alleen bij de toko's staan wat mensen, in hoofdzaak vrouwen. Zij kijken wel naar mij, maar evenmin als in het centrum van de stad is er sprake van vijandigheid.

De rij huizen in wat ooit de moderne Indische bouwstijl heette, is nog herkenbaar aan de gelijkvormige daken. Zoals elders in de stad zijn ook hier alle 'platjes' en erkers dichtgetimmerd, of met tralies en prikkeldraad afgeschermd. Vanuit de stilstaande betjak kijk ik naar nummer zeven, naar de ramen van de eetkamer en van mijn vaders kantoor, en op de eerste verdieping het (nu tot een hok verbouwde) overdekte balkon, waar ik in de koele uren schoolwerk zat te maken.

Het huis is bewoond, maar ik zie geen mens. Toch

wel: er beweegt iets bij een zijmuur, op een kale plek, ooit een perk vol rode en oranjegele canna's. Er zit daar iemand gehurkt in de aarde te wroeten.

'Nu moet jij niet kijken!' zegt Non plotseling, terwijl zij mij hard bij mijn arm pakt. Met een 'Ajo saudara, naik teroes, ja, lekas, tjepat!' spoort zij de betjak-rijder aan tot verdergaan. Ik kan mijn blik niet afwenden van de hurkende gestalte, een vrouw, wier gezicht verborgen blijft achter haar neerhangende haren, maar die me in houding en beweging plotseling verontrustend bekend voorkomt. In verwarring keer ik me naar Non, die opnieuw de man, die achter ons al op zijn pedalen staat om meer kracht te kunnen ontwikkelen, tot opschieten maant. Weer kijk ik om naar het huis, maar nu is de plek bij de muur leeg en ik besef dat daar zojuist ook niet echt mijn moeder gezeten heeft.

Later op die dag kreeg ik te horen wat niemand mij eerder had durven vertellen. Ik wist natuurlijk wel dat in de eerste dagen na de Japanse nederlaag, toen de poorten van de Bataviase interneringskampen geopend werden, veel vrouwen die (niet op de hoogte van de chaotische toestand in de stad) naar buiten gingen, in handen waren gevallen van pemoeda's. Die met messen en spits gepunte bamboestokken gewapende groepen radicale jonge nationalisten kenden geen genade. Mijn moeder behoorde tot degenen van wie nooit meer iets is vernomen nadat zij het kamp verlaten hadden. Zij was dus niet, zoals ik altijd had gedacht, kort na de bevrijding aan ziekte of ondervoeding gestorven. Non geloofde dat zij naar ons huis had willen gaan om iets te zoeken of te halen wat daar misschien nog te vinden was. Wanneer Non nu langs het huis kwam – maar dat vermeed zij zo veel mogelijk – zag zij soms die schim met blote handen in de aarde woelen.

De scepsis die ik tijdens mijn jaren in Holland had aangekweekt, vervloog als rook in de wind. Nog steeds kon ik dus zien wat Non zag, en als zij erbij was een blik slaan in een dimensie buiten het hier en nu. Ik merkte dat zij even geschokt was als ik door deze ontdekking, en ook dat die haar, net als vroeger, een zekere satisfactie gaf.

'Zo dom toch, om dingen in de grond te stoppen tussen canna's!' zei ze hoofdschuddend. Had mijn moeder, voor ze geïnterneerd werd, geld en sieraden begraven, zoals veel mensen toen deden in de veronderstelling dat de Japanners binnen enkele maanden verslagen en verdreven zouden zijn? Non herinnerde mij eraan dat de wortelstokken van canna's regelmatig gerooid en gescheurd, en dan opnieuw geplant moeten worden. Een nieuwe bewoner die na mijn moeders vertrek de tuin had willen onderhouden, zou voor er een jaar om was het hele perk omgespit hebben. Natuurlijk wist mijn moeder dat ook.

Die verschijning, gedurende enkele seconden zo bedrieglijk nabij, liet me niet met rust. Waarom was juist dat beeld buiten tijd en ruimte zichtbaar gebleven, als een luchtspiegeling?

Ik opperde de mogelijkheid dat mijn moeder een afspraak had gemaakt met iemand die niet naar een kamp hoefde (of met Oemar en Idah), om zo gauw mogelijk op te graven wat zij verborgen had, en dat voor haar te bewaren. Ik had na de oorlog van gerepatrieerden vaak gehoord dat zij op die manier nog een en ander hadden weten te redden.

Non reageerde voor haar doen ongewoon heftig: 'Wie dan? Wie heeft het dan gepakt?'

Ik heb de hoop opgegeven Dee te ontmoeten. Maar vlak voor mijn vertrek uit Jakarta weet Non plotseling toch nog voor een weerzien te zorgen. Zij komen samen naar het hotel, op die laatste middag, juist als mij de thee wordt gebracht op het voorgalerijtje van mijn kamer. Ik zie hen al in de verte op het pad langs het hoofdgebouw. Dee is onmiddellijk herkenbaar aan haar manier van lopen, haar trotse houding, lange passen. Zij draagt een kakikleurige rok en bloes, haast een uniform, en het – nu lange – haar opgestoken. Ik sta op en ga naar haar toe om haar te omhelzen, zoals ik Non omhelsd heb toen ik uitstapte voor het huis van Boedi en Neng. Wat ik ook verwacht heb, in elk geval niet de manier waarop Dee mij begroet, met een korte handdruk en een taxerende blik. Die blik schept afstand, maakt het ons onmogelijk op de oude voet verder te gaan. Als ik een stap terug doe, zie ik op de linker revers van haar bloes een smalle gouden speld die van mijn moeder is geweest. Mijn kijken ontgaat haar niet. Zonder dat ik iets gevraagd heb zegt ze dat mijn moeder, voor zij het kamp inging, haar een aandenken had willen geven. Maar omdat zij zich kan voorstellen dat ik, na alles wat er gebeurd is, zelf zo'n aandenken niet bezit, vindt zij dat ik er het meeste recht op heb. Zij maakt de speld los en steekt hem mij toe.

'Nee, hij is van jou,' zeg ik, beschaamd om wat even, in een flits, door mijn gedachten geschoten is. Non staat er zwijgend bij, haar ogen op mij gericht.

Dee legt het sieraad op tafel, naast het theegerei. Zij zal het niet meer aanraken.

Er was tussen ons drieën eigenlijk geen gesprek mogelijk. Over de oorlogsjaren en de tijd van de Nederlandse 'politionele acties' zwegen we als bij afspraak, er was te veel dat we niet van elkaar wisten, of niet konden uitleggen. In tegenstelling tot Non, die me in de voorafgaande dagen telkens weer had laten vertellen over hoe Taco en ik in Holland leefden, vroeg Dee geen enkele maal naar Taco, of naar onze studietijd en ons werk. Het werd me steeds duidelijker dat Non en Dee zelden contact met elkaar hadden. Wel bleek Dee door Non van onze komst op de hoogte gebracht te zijn. Dat Dee uit zichzelf geen enkele poging had gedaan Taco en mij te ontmoeten, griefde me. Er hing tussen ons een vreemde sfeer, als op een beleefdheidsbezoek van mensen die elkaar nauwelijks kennen. Algauw ging Non weg, zij moest naar een zieke. Dee en ik bleven zitten aan het rotan tafeltje. Van de aangrenzende voorgalerijtjes, achter scheidingswanden van bamboevlechtwerk, klonk gedempt praten. Zij nam een pakje sigaretten uit de zak van haar wijde rok en hield me dat voor.

'Rook je nog steeds niet?' vroeg ze, toen ik weigerde. Het waren de eerste woorden die ze zei op een toon die ik herkende. En even later, lachend vanachter de rook die zij uitblies: 'Die Herma! Njonja Tadema! Hoe bevalt dat?'

Ik drong erop aan dat zij zou blijven tot Taco 's avonds uit Bandoeng terug was, of dat zij in elk geval de volgende dag vroeg weer zou komen, zodat wij nog met haar konden eten voor ons vertrek, maar dat bleek niet mogelijk. Ik moest Taco namens haar maar een kus geven, 'for old time's sake'. Zij wilde weten of ik lelijke dingen over haar gehoord had sinds ik in Jakarta was. De zoon van 'je weet wel wie' hing in de stad rond, dat wist ik natuurlijk al van Non, en verkocht lasterpraat, noemde haar een 'hoer van Nippon', omdat zij destijds als secretaresse op een Japanse bank had gewerkt. Ik zei dat Non juist heel nadrukkelijk voor haar was opgekomen, maar Dee keek alsof zij dat betwijfelde. Zij vertelde mij dat de bankdirecteur, een ontwikkeld man, in alle opzichten een heer, haar steeds correct behandeld had. Zonder zijn steun zou zij in 1945 door de pemoeda's 'getjintjangd' zijn. 'Zoals jouw ma.'

Na die woorden werd zij ineens weer even de Dee van vroeger, zij stond op van haar stoel en omhelsde me.

Een van de redenen waarom het niet-vinden van de sleutel een freudiaanse *Fehlleistung* van mij kan zijn, is deze: dat er in mijn kist een schoolschrift van Dee ligt, met dagboekaantekeningen die onze vriendschap – of wat ik daarvoor hield – op losse schroeven hebben gezet.

Het is een schrift zoals we er altijd kochten bij Toko Nam Bie, een rijk gesorteerde Chinese kantoorboekhandel op Pasar Baroe. We hadden een voorkeur voor stevige cahiers met gemarmerde kaften in alle kleuren van de regenboog. Op het etiket van dit exemplaar staat in Dees wat achterover hellende ronde letters 'Plantkunde, IIIa'. De eerste tien of twaalf bladzijden zijn volgeschreven met dictaat.

Sinds ik, hoeveel jaar nu al geleden, gelezen heb wat zij schreef in de tijd toen wij nog vrijwel dagelijks met elkaar omgingen, wil ik blijkbaar niet meer naar binnen in dat 'Indië' waar de ebbenhouten kist voor mij het symbool van is.

Hoe zijn die ontboezemingen van Dee erin te-
rechtgekomen? Zaten ze tussen de papieren uit het
huis van mevrouw Mijers, die Non lukraak heeft ver-
zameld en meegenomen toen ze weg moest? Ik kan
niet geloven dat Non die bewaard zou hebben als zij
gelezen had wat Dee schreef. Maar misschien las zij
het wel, en heeft zij de bedoeling gehad mij Dees
verraad (want zo voelde ik het toen) te laten ontdekken wanneer ik ooit de kist in mijn bezit zou krijgen. In 1952 was het me niet mogelijk het zware meubelstuk zelf mee te nemen naar Nederland. Ik liet het
bij Non achter, ingepakt voor verzending per schip.

Nooit ben ik erin geslaagd te achterhalen aan welk
toeval of misverstand het te danken is geweest dat
die kist na jaren van verbroken postverbindingen
met Nederland (hij bleek ook een tijdlang als zoek
geraakt beschouwd te zijn) tenslotte in 1963 terecht-
kwam bij de toen herstelde Nederlandse vertegen-
woordiging in Jakarta. Vandaar is hij me toen toege-
stuurd. Heeft iemand hem ooit uitgepakt en geopend? De sleutel zat, in een zakje, vastgenaaid aan de
omhulling van jute.

Ik was verrast dit souvenir aan onze schooltijd te
vinden. Zelf heb ik niets meer bewaard uit die jaren.
Allerlei herinneringen kwamen boven aan de lessen
van de geestdriftige natuurliefhebber met zijn warri-

ge baard, die er de voorkeur aan gaf ons mee te nemen naar open land buiten de stad of naar de vloedbossen aan de kust in plaats van in de klas theorie te behandelen. Bij de tekeningen van bladvormen tussen de tekst zijn er die ik voor Dee gemaakt heb, zij had geen geduld voor dat werk en ik deed het graag.

Toen ik ze terugzag was ik verrast over de zorgvuldige weergave van prachtig generfde en gevlekte bladeren. De Latijnse namen staan erbij: 'Euphorbia pulcherrima', 'Stenandrium Lindeni' en 'Sanchezia nobilis'. Ik weet niet meer hoe die planten in het Maleis heetten. Ik denk dat ze in de Buitenzorgse Plantentuin groeiden, waar we onder leiding van onze leraar nogal eens naartoe gingen. Dat waren heerlijke excursies, met als hoogtepunt een picknick op een schaduwrijke plek onder de kenaribomen met hun hoge wortelkammen, of in het bamboebos tussen de grafstenen van notabelen uit het begin van de negentiende eeuw.

Later stuitte ik bij toeval tussen de vele blanco pagina's van Dees dikke schrift op verspreide stukjes haastig neergekrabbelde tekst, korte ontboezemingen over dingen die op school gebeurd waren, die me troffen omdat ze een nooit vermoede kant lieten zien van iemand die ik beter dan wie ook dacht te kennen. Onder de rake, vaak genadeloze karakteristieken van leraren en klasgenoten kwam ik telkens weer mezelf tegen als voorwerp van Dees felle aandacht. Het meest was ik geschokt door de ontdek-king dat zij mij soms haatte, niet om wat ik zei of deed, maar om wat ik in haar ogen blijkbaar was, ie-mand in wie ik mijzelf niet herkennen kon. Is het waar dat ik wel degelijk behept was met het discri-minerende 'blanke' zelfbewustzijn, zonder het te be-seffen? School er in de manier waarop ik me gedroeg bij Dee thuis, en dan vooral tegenover haar, een overdreven vertoon van me senang te voelen in die omgeving, waardoor ik juist bewees dat dit niet echt het geval was? Zij verdacht mij ervan inschikkelijk-heid, meegaandheid, te huichelen, de Indo-kesasar te spelen, om aardig gevonden te worden. Het was die mimicry, die kameleonhouding, waar zij zo de pest aan had! Ik hoefde toch niet zo angstvallig mijn best te doen, als kind van echte totoks kon mij im-mers niets gebeuren! Dat ik altijd haloes wilde zijn, beleefd, bescheiden, beschouwde zij als pure aanstel-lerij.

Haar ontkenning, toen al, van wat voor mij zo'n belangrijk bindend element geweest was in onze vriendschap: dat ik evenmin een totok was als zij, griefde me met terugwerkende kracht. Toen ik dat las, en ook andere dingen, die ik me niet meer woor-delijk kan herinneren, moest ik denken aan haar va-der, Louis Mijers, die me sinds ik klein was telkens weer op een verwarrend-plagerige manier gecon-fronteerd had met mijn volbloeduiterlijk: 'Dat kind hier ziet er altijd zo helder uit! Zo "manis"! Geen vlekje zit eraan. Je zieltje is vast niet zo blank als je gezichtje! Biecht eens op, wat doe jij stiekem voor stouts?'

Ik vond dat een idiote vraag. Ik bekeek mezelf in de spiegel. Ja, ik zag eruit als een totok. Ik had een blank gezicht, blauwe ogen, blond haar. Ik werd nooit bruin in de zon, wel rood, met vervellingen op mijn neus en voorhoofd. Natuurlijk deed ik soms wat niet mocht, zoals iedereen, en ook wel stiekem, maar moest ik dan per se altijd braaf zijn vanwege mijn totokse kenmerken?

Kerstmis 1935: een 'weldadigheidsavond' ten bate van het weeshuis Parapattan, georganiseerd door een van de vele verenigingen met een maatschappelijke doelstelling waar mijn moeder lid van is. Zij is zoals altijd actief betrokken bij de voorbereidingen, het maken van pakketten met kleding en lekkers, het benaderen van mensen die de avond kunnen opluisteren met voordrachten en muziek. Er zullen ook tableaux vivants vertoond worden, een ouderwets beproefd succesnummer, omdat dan de grote kinderen van de leden mogen meedoen. Dee en ik zijn ingedeeld bij een groep van louter meisjes. De leiding is in handen van een mevrouw die de rubriek 'Knutselen en Handwerken' verzorgt in het maandblad van de Vereniging van Huisvrouwen.

Als thema voor de tableaux heeft men gekozen 'Vrede, Liefde en Vertrouwen', de kerstgedachte in meer algemene zin geformuleerd met het oog op aanhangers van andere godsdiensten onder de toeschouwers. Het tafereel waar Dee en ik bij horen, heet 'Vrouwen van de hele wereld samen Opwaarts naar het Licht'.

De eerste en enige repetitie, op de dag van de uitvoering, in de voor de gelegenheid welwillend ter beschikking gestelde grote zaal van de Sociëteit Concordia, dreigt in chaos te ontaarden.

Terwijl de regisseuse met haar draaiboek in de hand aanwijzingen geeft aan mannelijke vrijwilligers die lampen en gordijnen zullen bedienen, en op de achtergrond het begeleidingskoortje oefent, worden de 'levende beelden' door een ploeg moeders met behulp van sjaals, sluiers, sarongs, kunstbloemen, waaiers en kralenkettingen uitgedost als vrouwen van diverse exotische culturen. Een Spaanse, een Volendamse, een *Dirndl* en een meisje in de Europese wintermantel van haar moeder vertegenwoordigen het Westen. Uit een aantal tafels van verschillend formaat, en planken op schragen, het geheel met tapijt bedekt, is een hellend vlak geconstrueerd, de Opwaartse Weg naar het Licht.

Djongossen van de Sociëteit dragen potten met palmen en varens aan, om nog zichtbare tafelpoten en lelijke plooien aan het oog te onttrekken.

Het duurt lang voor wij, in half liggende of knie-lende of kruipende houding, de handen uitgestrekt naar de lichtbron op de top van de 'berg', allemaal onze plaats ingenomen hebben. Maar het gewenste effect blijft uit, daar zijn alle omstanders het over eens. Verkrampt liggen we op de stellages, zwetend in onze geïmproviseerde kostuums, die voor een deel met spelden in elkaar gestoken zijn. Eindelijk beslist de regisseuse dat er een figuur bovenop de berg moet staan, een hemelse verschijning, de perso-nificatie van het Licht. Die krijgt dan de volle laag uit de schijnwerpers, terwijl de vrouwen van de hele we-reld in het halfdonker blijven.

'Wie doet die engel?' vraagt iemand.

Het blijft stil. Plotseling klinkt er een stem op de berghelling.

'Herma, natuurlijk!' Dee zegt het, vanuit de plooi-en van een Indiase sari. 'Zo blank, zo blond, echt een engel, toch?'

Ik word van mijn plek getrokken, ontdaan van mijn kimono en Japanse hoofdtooi van papieren chrysan-ten, en gedrapeerd in een laken en een stuk klam-boetule. Ze kammen mijn haar wijd uit over mijn schouders. Via een trapleer klim ik naar het hoogste punt van de stellage. De lampen gaan aan. 'Perfect,' zegt de leidster.

Ik voel me opgelaten, vooral vanwege de theatrale houding die ik moet aannemen, met een arm ten hemel geheven, de andere in een bemoedigend gebaar uitgestrekt naar de onderdrukt proestende aardebewoonsters beneden mij. Vanaf de plek waar ik sta kan ik door de boogvormige deuropeningen van de zaal in de tuin kijken, ik zie een gedeelte van de fontein met de negentiende-eeuwse gietijzeren beelden, en daarachter het Waterlooplein in de felle middagzon. Maar ik mag niet staren waarheen ik wil, mijn blik dient gericht te zijn op de vrouwen aan mijn voeten. Er wordt me een onuitvoerbare gezichtsuitdrukking voorgeschreven, een mengeling van geestdrift, mededogen en het besef een Hoge Taak te vervullen. Ik schaam me, wat ben ik belachelijk, wat is dit helemaal een idiote vertoning. Ik begrijp niet hoe Dee mij in deze situatie heeft kunnen brengen, en dat zeg ik haar ook, na de voorstelling 's avonds, wanneer we in de propvolle kleedruimte bezig zijn ons aandeel van de lappen en rekwisieten te verzamelen.

Zij reageert fel: 'Doe het dan niet, zeg dan dat je niet wilt, waarom zo tam altijd, jij kan geen nee zeggen, zo stom!'

Toch hebben de boze ontboezemingen van Dee in haar plantkundeschrift me niet de meeste hoofdbrekens bezorgd. Ik kende immers haar humeuren, haar 'tinka's', die even snel weer verdwenen als ze opgekomen waren, en meestal geen andere oorzaak hadden dan een voor haarzelf onverklaarbaar gevoel van onbehagen. Zij omschreef dat eens als een soort van schrijnende onderhuidse jeuk, die haar tot krabben dwong maar waar ze niet bij kon, daar werd ze gek van. Dat die vlagen van razernij soms met mij te maken hadden, heb ik nooit kunnen vermoeden. Maar niet in de eerste plaats daarom ontnam de ontdekking van dat Nam Bie-cahier me mijn zelfvertrouwen.

Tussen de bladzijden vond ik een kiekje van haar en mij samen. Taco had dat genomen bij het zwembad van het berghotel Selabintanah, vlak voor zijn vertrek naar Nederland in 1937.

Ik heb er zelf ook een afdruk van gehad, maar die ben ik kwijtgeraakt. Ik was verrast door dit al vergeten beeld uit onze zorgeloze Indische jaren, en na al die tijd ook verbaasd over de zichtbare vanzelfsprekendheid waarmee wij, jonge meiden, ons thuis voelden in de dolce far niente-sfeer van die luxe omgeving voor een verblijf 'boven'. Wij staan, in badpak, onder de tjemaras aan de rand van het bassin. Met het embleem van mijn waterpoloclub op de borst, zie ik eruit als de goede zwemster die ik was, sportief, maar niet elegant. De houding van Dee, al half omgedraaid naar het water, is onbedoeld verleidelijk. Het natte dunne tricot plakt tegen haar lichaam, en door het spel van licht en schaduw onder de bomen worden haar heupen en haar borsten ge-

accentueerd als die van de nimfen op een Boroboe-
doer-reliëf. Op de achterkant van dat fotootje staat,
in Taco's handschrift, een regel uit een filmsong van
Fred Astaire, waar we in die tijd door geobsedeerd
waren: '...the way you haunt my dreams...'

Moorland heeft mijn geheugen formidabel genoemd,
maar hij vergist zich. Het is vol zwarte gaten en sche-
merige gebieden. Ik ben ook niet meer zeker van
sommige dingen die ik dacht te weten toen ik aan
deze aantekeningen begon. Evenmin kan ik de juiste
volgorde aangeven van de ontwikkelingen in de relatie tussen Dee en Taco, waar Moorland trouwens niets
mee te maken heeft.

Schrijven over Taco valt me moeilijk. Hoe overwin ik
mijn tegenzin, mijn angst, om herinneringen onder
woorden te brengen aan de Taco van vroeger, dat wil
zeggen, aan de Taco Tadema die ik dacht te kennen.
De Taco van onze schooltijd, mijn 'vriendje', die ik
op de Johan van Oldenbarnevelt zag wegvaren uit de
haven in Priok – wij bleven voelbaar verbonden tot
de serpentines van het traditionele afscheidsritueel
braken. De Taco van die ene Hollandse zomer in
1939, met wie ik vrijde in zijn studentenkamer, in
bos, duin en heide, en die ik in oktober uitgeleide
deed op het station waar de boottrein naar Genua
vertrok. De Taco die ik terugzag in 1945, tot op het

bot vermagerd, met zweren overdekt, stug uit on-wennigheid, niet meer, nooit meer, de geliefde van het zorgeloze laatste jaar voor de oorlog. De Taco van onze studietijd, met wie ik heb samengewoond. Beiden hadden we onze ouders verloren tijdens de Japanse bezetting en in de bersiaptijd. De Taco van onze zeventien huwelijksjaren tot 1967, die ik beschouwde als mijn 'echtvriend' in de ware betekenis van dat woord, en tenslotte de Taco die in 1968 in een ambulance thuisgebracht werd, invalide, een gebroken mens na zijn gijzeling op de Filippijnen.

Taco's ouders hadden op de helling van de Gedeh dat vakantiehuisje, die pondok, waarvan de mijne een replica in het klein is. Ik denk dat ik hem voor het eerst gezien heb toen ik met mijn vader en moeder voor een van onze jaarlijkse 'sentimental journeys' op weg was naar de Tjibeureum-watervallen. De pondok lag aan de uiterste rand van het bebouwde gebied boven Sindanglaja, waar het asfalt ophield en de paden door het oerwoud begonnen. Daar was ook de prachtige proeftuin van Tjibodas, waar we op zondagen wel eens naartoe gingen. Als bioloog had Taco's vader te maken met het laboratorium voor bergflora op die plek. De Tadema's waren ieder weekend 'boven'.

Toen ik op de middelbare school kwam, herkende ik die lange magere jongen van de pondok bij Tjibodas meteen. Hij zat twee klassen hoger dan ik. Wij zagen elkaar dagelijks, in de gangen van het lyceumgebouw, in het zwembad, op feestjes. Taco had een open 'Fries' gezicht, hij straalde een kalme zelfstandigheid uit, die hem onderscheidde van andere jongens van zijn leeftijd. Die vonden Dee en ik meestal te branie, te sloom of te kinderachtig. Vanwege zijn lengte droeg Taco al op zijn vijftiende geen korte broeken meer. In zijn hagelwitte pantalon, en een schillerhemd met opgerolde mouwen, was hij een jonge volwassen man.

'Hij is op jou,' zei Dee, nog voor er een jaar om was. Dat merkte ik wel, en het was wederkerig. Maar we gedroegen ons niet verliefd. Het bleef bij kijken naar elkaar, vluchtige aanrakingen tijdens het dansen op een schoolfeest, of het stoeien in het zwembad. Wij gingen met een hele groep naar Priok om te kanoën, of naar de jaarlijkse reuzenkermis op het Koningsplein, de Pasar Gambir, we maakten, altijd in gezelschap van anderen, fietstochten in de omstreken van Batavia. Bij elkaar thuis kwamen we nooit, dat was geen gewoonte. Jongens en meisjes in de puberteit werden nog niet geacht 'verkering' te hebben. In 1936 vormden wij bij de jaarlijkse einduitvoering een muzikaal duo: Taco speelde viool, en ik was juist ver genoeg op de piano om hem te kunnen begeleiden. Het oefenen 's middags in de lege school, in het gymnastieklokaal, waar een piano stond, markeerde een verandering in onze omgang. Ik was zestien, Taco zeventien. We leefden in een staat van verwachting, geen kinderen meer, maar nog niet toe aan een beheersbare vorm van erotisch contact. In onze omgang vermeden we instinctief het gevaarlijke grensgebied tussen kameraadschap en flirt. Juist omdat we ons bewust werden van lichamelijke verlangens, kreeg het afstand bewaren tijdens die warme middaguren van muziek maken, de enige ogenblikken die we samen alleen doorbrachten, een bijzondere betekenis.

'Zoenen jullie nooit?' vroeg Dee vaak, in opperste verbazing.

Zij geloofde mij eigenlijk niet wanneer ik nee zei. De manier waarop Taco en ik ons tegenover elkaar gedroegen was voor haar een bron van vermaak. Zij noemde Taco de 'oer-Belanda', maar niet in negatieve zin. Hij belichaamde de Hollandse jongen uit onze kinder- en jeugdboeken, ontwapenend zowel in zijn ernst als in zijn onhandigheid. Maar hij was in Indië geboren en opgegroeid, net als wij, en dus geen totok. Dat bleek ook uit de losheid waarmee hij zich bewoog bij het dansen, een viriele zwier, die hem, met zijn lange lijf, goed stond.

Voor mij had onze wederzijdse schroom de magie van beproevingen die geliefden in mythen en sagen ondergaan, geheimzinnige geboden die tevens verboden zijn. Onuitgesproken spanning beheerste mijn gedachten. Het sprak voor mij vanzelf dat Taco dit net zo voelde als ik. Pas veel later is het tot me doorgedrongen dat die eensgezindheid alleen in mijn verbeelding heeft bestaan.

Mijn ouders kenden die van Taco wel, maar behoorden niet tot hun echte vriendenkring. Professor Tadema was een geleerde met een internationale reputatie, een niet onvriendelijke, weinig spraakzame man die ik maar zelden te zien kreeg. Zijn vrouw had een drukke praktijk als tandarts. Een merkwaardig paar: allebei lang en dun, hij kalend, bebrild, zij net als Taco witblond, met helle grijze ogen. Thuis ving ik wel eens een en ander op van wat er gezegd werd over hun onconventionele levensstijl. Zij golden als zeer vooruitstrevend, waren bevriend met inheemse intellectuelen, deden nauwelijks mee aan het gebruikelijke Bataviase sociale verkeer. Samen met een handvol academici vormden zij de culturele elite van de stad. Zij waren, dat wist ik van Taco, erg geïnteresseerd in 'moderne' muziek en literatuur, hielden thuis discussieavonden, ontvingen belangrijke Nederlandse en ook wel buitenlandse wetenschappers en kunstenaars wanneer die Indië bezochten.

Taco en ik waren lezers. Uit de bibliotheek van de Kunstkring leenden we proza van Bordewijk en Van Schendel, poëzie van Roland Holst, Nijhoff en Marsman. De bovenbouwleraar Nederlands, die het letterkundige leven op de voet volgde, begon op een keer – dat zal in 1937 geweest zijn – een bijeenkomst van onze literaire schoolclub met de mededeling dat een van de belangrijkste 'jongeren', Edgar du Perron, zich in Batavia bevond. Taco wist dat al, want de schrijver en zijn vrouw waren bij hem thuis te gast geweest. Niet lang daarna liet hij mij een boek zien, *Het land van herkomst*, dat Du Perron aan de Tadema's cadeau had gedaan. Als vanzelfsprekend gaf hij het mij te lezen toen hij het uit had. Ik was het met hem eens dat de Indische jeugdjaren van een vorige generatie er meesterlijk en voor ons volkomen herkenbaar in beschreven werden. Net als hij interesseerde ik me minder voor de gedeelten die zich in Parijs afspeelden.

Dee zag het boek op mijn tafel liggen en bladerde erin. Opeens begon zij te schateren. 'Adoeh, die Taco!' Zij toonde me een bladzijde met in de kantlijn een verticale, aandacht eisende potloodstreep. Daarna las zij hardop de passage waar het om ging, die ik nog niet onder ogen had gehad, de beschrijving van het erotische 'onderzoek' dat de zeventienjarige Arthur Ducroo uitvoert bij een iets ouder buurmeisje, in de hoop dat hij eindelijk, voor het eerst, een naakt vrouwenlichaam zal zien. Dee kon er niet over uit: 'Goh, die Taco toch!'

In een plotselinge felle behoefte Taco te verdedigen zei ik dat die streep vast niet door hem in het boek gezet was, al dacht ik eigenlijk van wel. Maar ik wilde niet dat hij om iets intiems van hem door Dee uitgelachen werd.

Taco en ik hadden ons op een van onze muziek-repetities afgevraagd welke beelden Chopin (die wij de grootste van alle componisten vonden) voor ogen gestaan hadden wanneer hij bepaalde melodieën op-schreef. Ik opperde: landschappen in maanlicht. Taco zei na een aarzeling dat hij zich bij die klanken niets mooiers kon voorstellen dan een badende nimf.

Dee, Taco en ik hangen over de reling op de boeg van de Van Outhoorn, een bejaard schip van de Konink-lijke Pakketvaart Maatschappij dat verhuurd wordt voor excursies. We zijn met de hele school, ruim driehonderd leerlingen, door Straat Soenda op weg naar het vulkaaneiland Krakatau.

Er staat een harde wind, het schuim dat vanonder de kiel opspat sproeit als een regen van zoute drup-pels over ons heen. Krakatau komt in zicht, een kale kegel met steil afgeslepen zijkanten. Waar de lava-stromen omlaag gegleden zijn lopen donkere stre-pen tot in zee. Alleen op een smalle reep strand wil iets groeien. Aan de oostkust kolkt de branding rondom louter rotsblokken, die daar als door een reuzenhand zijn uitgestrooid. De Van Outhoorn keert, en vaart langs Anak Krakatau, het 'kind', een halvemaanvormig verzand eilandje dat bij de laatste uitbarsting ontstaan is. Bruinvissen springen boven de golven uit, Taco wijst ons een langszij meezwemmende haai aan.

Ik leun met mijn kin op mijn armen, betoverd door het silhouet van de berg tegen de lucht, en de blauwgroene, met schuimstrepen gemarmerde, woelige zee, die tot aan de horizon een en al schelle glinstering is. Naast mij hoor ik Taco vertellen over de ramp van vijftig jaar geleden, toen de vulkaan vuur en gloeiend gesteente uitbraakte. Het eiland brak letterlijk in stukken. De in zee wegzinkende gedeelten stuwden torenhoge vloedgolven op, die de kuststreken van Bantam en Zuid-Sumatra verwoestten. Tienduizenden mensen kwamen om het leven.

Maar Krakatau is niet dood. Elk jaar komt er iets boven water. 'Anak' is eigenlijk een stuk van de kraterrand. Ook onzichtbaar, op de zeebodem werkt de vulkaan nog altijd.

Dat in het hart van de verzonken vulkaan, zo diep onder de golven, de lava blijft gloeien, is iets waarover Dee telkens weer begint. Zij stoot mij aan. 'Hoor je me wel, hij dooft niet uit!' Op een toon alsof zij reikhalzend uitkijkt naar die gebeurtenis zegt zij: 'Als de lava blijft gloeien, dan gaat hij dus weer uitbarsten, ja toch?'

Taco's verhaal roept voor mij het beeld op van de tsunami, een Japanse prent die bij ons thuis hangt. De reusachtige golf richt zich uit de oceaan op als

een monster met ontelbare klauwen van grillig om-
krullend schuim.

Die dreiging blijft me bij. Soms droom ik ervan. In
die dromen is er een verband tussen de vloedgolf en
Taco en Dee, dat ik me na het wakker worden niet
herinneren kan.

In verband met hernieuwde zakelijke en culturele
contacten tussen Indonesië en Nederland ben ik in
1967 betrokken geraakt bij plannen (alleen nog op
papier) van een groep geestdriftige personen uit het
bedrijfsleven om de restauratie van een paar interessante achttiende-eeuwse gebouwen in Jakarta te be-
kostigen. Ik heb de uitnodiging voor deelname aan
voorlopige verkennende gesprekken onmiddellijk geaccepteerd. Ik wilde toen van een verblijf op Java ge-
bruikmaken om voor de studie die ik aan het schrijven was weer – na twintig jaar! – naar de Boroboedoer en de Prambanan-tempels te gaan, en in ieder
geval ook Non opzoeken. Pakembangan was een co-
operatieve kwekerij geworden. Non werkte daar onder de naam Ibu Sjarifa. Met haar hulp hoopte ik
Dee te vinden, van wie ik geen adres had.

Het Huis Muntingh bleek van de aardbodem verdwenen. Tijdens de Japanse bezetting schijnt het een
opslagplaats geweest te zijn, en in de jaren daarna
hebben buurtbewoners al wat nog bruikbaar was
aan hout en steen uit het onherstelbaar vervallen

pand gesloopt. De plek waar het gestaan heeft werd een nieuwe vuilnisbelt in die nooit gesaneerde krottenwijk van de benedenstad.

Op basis van foto's uit 1908 van het Bataviaas Genootschap van Kunsten en Wetenschappen, en mijn eigen herinnering aan het bezoek met Non, heb ik geprobeerd het originele houtsnijwerk van de bovenlichten in het voorhuis en de vignetten op de deurpanelen te reconstrueren. In mijn kist bevinden zich de tekeningen op schaal die ik gemaakt heb. Men heeft twintig jaar later reproducties van die ornamenten, die Indonesische vaklui kunstig hadden gesneden uit djatihout, geverfd in Chinees rood en met verguldsel belegd, hier en daar gebruikt in het gerestaureerde raadhuis.

Taco kreeg na veel moeite toestemming van de Indonesische autoriteiten om op de Molukken onderzoek te doen naar resten van factorijen en versterkingen uit de eerste jaren van de VOC. De binnenlandse politieke spanningen na de couppoging in '65 uitten zich overal in argwaan en onwil, waardoor er telkens sprake was van oponthoud.

Met tijdrovende en onregelmatige boot- en vliegtuigverbindingen ging Taco vanuit Jakarta op weg naar de eilanden in de Bandazee. Ik was ongerust, want er bestond twijfel over de veiligheid in dat gebied, maar Taco wilde het erop wagen, nu hij de kans kreeg. Wij spraken af dat wij ieder op eigen gelegenheid naar Nederland zouden terugreizen.

Had ik me maar niet ingelaten met die vage restauratieplannen, was Taco maar niet zo overtuigd geweest van het belang van die ruïnes voor zijn Reael-studie.

Pas als de auto de toegangsweg naar Pakembangan indraait – de 'oprijlaan', zoals mevrouw Mijers altijd zei – tussen de dubbele rij van hoge kenaribomen, geef ik me er rekenschap van dat ik hier nooit eerder geweest ben. Door de foto's in mevrouw Mijers' album had ik altijd het gevoel het landgoed en het huis te kennen, alsof ik er zelf geboren en getogen was. Wat ik nu zie, wijkt af van mijn voorstelling ervan.

Ik herken wel het uiterlijke beeld van de 'besaran', met het brede, laag overhangende dak, geschraagd door een rij nogal plompe ronde zuilen, maar de paviljoens aan weerszijden zijn vervangen door – of verbouwd tot – loodsen. Het grasveld voor het huis is nu een vlakte van slordig struikgewas, op een met grind bestrooide strook na, waar auto's geparkeerd staan: een oude jeep, een paar aftandse bestelwagens. De deuren die op de voorgalerij uitkomen zijn allemaal gesloten. Ik loop naar de linker loods, waar ik stemmen hoor.

Ik zie emmers en teilen vol snijbloemen: gladiolen,

gerbera's, lelies, en de specialiteit van de kwekerij: orchideeën in de meest gewilde soorten, als plant, of per tak, voor boeketten. Aan een tafel staan een paar mensen manden op te maken. Als ik vraag naar Ibu Sjarifa, gaat er dadelijk iemand naar het hoofdgebouw.

Wat ooit de achtergalerij geweest moet zijn, is nu met houten schotten afgesloten. 'Kantor Kebun Bibit, Bunga Anggrek' lees ik op een met bloemen in alle kleuren beschilderd bord bovenaan de gevel. Een deur gaat open, uit het kantoor komt een vrouw naar buiten. Het is Non, in sarong kabaja, met een sjaal over het hoofd.

Als ze mij ziet, blijft ze staan, en heft haar samengevouwen handen naar haar gezicht.

'Och, Toet! Herma, toch?' fluistert ze.

Ik sla mijn armen om haar heen. Ik weet niet wat ik tegen haar zeggen moet, zij is in die vijftien jaar zo oud geworden. Onder de afglijdende doek draagt zij haar bijna geheel grijze haar strak naar achteren gekamd in een kleine wrong.

'Kom, wij gaan naar mijn huisje, ja?'

Dat sterke accent had ze vroeger nooit. Zij neemt mijn hand en brengt me over het achtererf langs overdekte bloembedden en uit bamboelatten opgetrokken afdaken, waaronder op rekken orchideeplanten hangen, naar een achter een heg verscholen vierkant gebouwtje, dat ik van de oude foto's herken als het verblijf van de nachtwakers van Pakembangan. Het bestaat uit een kamer, niet veel groter dan een cel, met een smal voorgalerijtje. Buiten zie ik een put, en een hok met een kookplaats.

Als ik haar vraag of zij daar woont, beaamt zij dat, en legt me uit dat zij niet veel nodig heeft. Naast het werk dat zij nog altijd doet in de kwekerij, verlangt zij alleen maar naar stilte voor meditatie en gebed.

'Ik ben nu moslima, weet je,' voegt zij eraan toe, terwijl zij haar sjaal weer over hoofd en schouders schikt. 'Daarom heet ik ook Sjarifa, dat wil zeggen "uitverkoren door de Profeet".'

Zij wijst me, in de verte tussen de bomen, een koepel aan die eruitziet alsof hij van aluminium gemaakt is, en een smal torentje: de kleine moskee van Pakembangan. Zij wil op bedevaart naar Mekka en spaart daarvoor. De hadji (zij kijkt mij strak, vorsend, aan en herhaalt dan het woord 'hadji' met nadruk), de hadji bestuurt haar leven. Zij weet nu dat hij de geestelijke leidsman is geweest van een sarekat, een mystieke broederschap. Door speciale oefeningen, het zonder ophouden herhalen van bepaalde heilige teksten, konden zijn volgelingen een toestand van extase bereiken. Daarnaar streeft zij ook. Hij is haar vroeger verschenen om haar tot het ware geloof te brengen. 'Allah Akbar!' mompelt zij, en heft even haar handen op, met de palmen omhoog gekeerd.

'Als jij naar Mekka gaat, word je zelf hadji,' zeg ik lachend, in een poging een meer ontspannen stemming te scheppen. Iets geëxalteerds in haar manier van doen verontrust me. Omdat ik merk dat mijn benadering van wat haar bezielt haar hindert, begin ik over iets anders.

'Je bloemen, Non! De hybride van een witte larat en een tijgerorchidee! Je zei altijd dat het wel vijftien jaar kon duren voor je een mooie kruising had. Heb je hem?'

'Gagal, mislukt,' zegt ze kortaf.

Tijdens dat verblijf in Jakarta ontmoette ik Non meerdere malen. Zij wilde niet naar de stad, en dus ging ik naar Pakembangan. Ik kon moeilijk wennen aan haar nieuwe verschijningsvorm van vrome moslima. De naam Sjarifa kreeg ik niet over mijn lippen. Als ik bij haar was, wandelden wij wat over het terrein van de kwekerij, of in het resterende gedeelte van de immens grote tuin die vroeger bij de besaran had gehoord. Vanaf het zo vaak door mevrouw Mijers geroemde grasterras, nu een veld vol onkruid, genoten wij van het uitzicht op de Salak en de Gedeh-Panggrango in de verte.

Over het vooroorlogse Batavia, mevrouw Mijers en haar huis, en Boedi en Neng, jaren geleden gestorven, praatten wij niet, het leek alsof dat alles in Nons leven geen rol meer speelde. Bij voorkeur had zij het

over haar religieuze ervaringen, het contact met ge-
loofsgenoten in een groep die door middel van meditatie streefde naar evenwicht tussen lichaam en
ziel, en over haar voorgenomen pelgrimstocht naar
Mekka. Ondanks haar tegenzin om op mijn vragen
in te gaan bracht ik wel telkens Dee ter sprake. Uit
wat zij uiteindelijk losliet, begreep ik dat Dee, altijd
opvallend door haar schoonheid en vrijmoedigheid,
tijdens het bewind van Soekarno actief was geweest
in propaganda voor Nasakom, de door de president
ingevoerde vorm van 'nationaal' communisme. Zij
had zich veel vijanden gemaakt onder de tegenstanders van die richting. Na de beruchte couppoging in
1965, toen Soeharto de macht had overgenomen, was
Dee bij zuiveringsacties ternauwernood aan de dood
ontsnapt, dankzij diplomatieke bescherming door
de Polen, met wie zij contact onderhield sinds zij
zich Wychinska noemde. Non had haar bezworen
voortaan op de achtergrond te blijven, maar in een
opwelling van solidariteit met een paar vroegere Chinese zakenrelaties van mevrouw Mijers (misschien
heel, heel verre bloedverwanten uit de dagen van de
Muntinghs) was Dee, of Mila, zoals zij wilde heten,
zo onvoorzichtig geweest voor die mensen op te komen tijdens de weer eens in volle hevigheid oplaai-
ende uitbarstingen van haat jegens de 'Tjong Hoa's',
die ook zonder bewijs verdacht werden van sympa-
thiseren met Peking.

Dit feit betreffende Dee zal ik aan Moorland melden, omdat daaruit blijkt hoe spontaan zij altijd partij koos voor wie volgens haar blootstonden aan discriminatie.

Sinds die nieuwe vlagen van moord, doodslag en plundering, en van onuitroeibaar wantrouwen zelfs jegens Chinezen die in Indonesië geboren en getogen peranakans waren, hield Dee zich schuil, Non wist niet waar, en wilde het ook niet weten. Zij waarschuwde mij voor het geval Dee contact met mij zou zoeken. Dee was roekeloos, onbetrouwbaar, en – het allerergste – ongelovig.

'Ongelovig ben ik ook,' zei ik, pijnlijk getroffen door Nons harde oordeel over Dee, al wist ook ik allang niet meer wat ik van haar denken moest.

Non keek mij met wijdopen ogen strak aan, als om dwang op me uit te oefenen: 'Maar jij hebt de hadji gezien.'

'Wat betekent dat dan, wat betekent het?' vroeg ik, maar evenmin als bij vorige gelegenheden kon of wilde zij daar antwoord op geven. Mijn opmerking dat bij mijn weten de orthodoxe islam (waartoe zij immers zei nu te behoren) geloof aan geestverschijningen verbood, pareerde zij met een betoog over de in elk geval op Java algemeen aanvaarde mystieke godsdienstbeleving, die de belijders juist tot betere moslims vormde.

Op onze wandelingen nam zij mij ook steeds mee

naar de aan Pakembangan grenzende desa, waar de meeste mensen van de kwekerij woonden. Zij voerde me dan langs de kleine moskee, met een torentje en een uivormige koepel. Net zulke missigit-daken in miniformaat zag ik vanuit bus of taxi ook in andere dorpen, soms in de vorm van een bouwpakket klaargezet op de berm van de weg, om vervoerd te worden naar een oord zonder godshuis.

Toen ik afscheid kwam nemen, voor ik naar Midden-Java ging, stelde ik de vraag die me steeds bezighield: waarom zij Dee onbetrouwbaar had genoemd. Het regende die dag, wij zaten in het nachtwakershuisje, Non op haar smalle slaapbank, ik in de enige gemakkelijke rotanstoel. Ditmaal was zij rechtstreekser in haar antwoorden, al kwamen die langzaam, zin voor zin, met telkens een pauze daartussen. Wat Dee de ene dag aanhing, verwierp ze de volgende. Zij wilde een Poolse zijn, en toch niet naar Polen gaan, maar nu eens hier, dan weer daar wonen, in Jakarta of Singapore of zelfs in Bangkok. Hoe leefde zij, wat deed zij? Non was bang dat Dee geen 'reine' vrouw was, soms moest zij denken aan de geruchten over Dee uit de Japanse tijd, die zij weigerde nader te preciseren. Het ergste vond zij dat Dee het grondbeginsel van haar geboorteland zoals dat was vastgelegd in de Pantjasila – het geloof in een enige almachtige God –, niet erkende, en dus in haar leven geen leidraad bezat. Al haar aandacht ging uit naar wereldse zaken, die steeds wisselende, bedrieglijke aspecten van de samenleving en van mensen, naar politiek vooral, en in dat opzicht – haastte Non zich mij te verzekeren – verschilde ik van Dee, al noemde ook ik mijzelf een ongelovige. Ik wist immers van het bovenzinnelijke, het immateriële, en van de geheime krachten in de natuur.

Ondanks Nons ongebruikelijke mededeelzaamheid kon ik toch de indruk niet kwijtraken dat zij iets belangrijks verzweeg.

Zij bracht mij tot aan de poort, waar de autobus naar de stad langs zou komen. Halverwege de oprijlaan wees zij mij een hoop door struiken overwoekerde stenen aan. Daar had in de bersiaptijd een bende jongeren uit de streek de vroegere eigenaar ('Je weet wel wie,' zei Non) letterlijk aan stukken gehakt toen hij zo onvoorzichtig was naar de onderneming te komen. Hij lag daar ook begraven, op die plek, waar geen mens zijn lijk zou zoeken. Ik vroeg of dat gruwelijke einde zijn tjelaka was, zijn ongeluk, dat zij ooit voorzien had. Non knikte. Het had lang geduurd, maar het lot had de moordenaar van Louise ingehaald, zo was het beschikt, pasrah.

Zij zwaaide niet toen de bus wegreed, maar bleef bij de poort staan. Ik wuifde wel, tot ik haar uit het oog verloor.

Ik onderging mijn bezoek aan de Boroboedoer als een inwijding, al begreep ik toen niet welke levensfase ik verliet, en in welke ik binnentrad. Hoe geschonden en vervuild ook, de ommegangen met hun glorieuze reliëfs waren een openbaring voor me, oneindig veel indrukwekkender dan het gebeeldhouwde reuzenprentenboek dat ik er als achttienjarige in had gezien toen mijn ouders mij voor de vakantie meegenomen hadden naar dat 'Wonder van de Vorstenlanden'. Ik wandelde tussen goden en nimfen, koningen, dwergen, hovelingen, dansers, dienaren, nederig hurkende onderdanen en vriendelijke dieren, apen, olifanten, vogels, verzonken in de aanblik van die weergaloze kunstwerken. Ik legde mijn handen op makara's en op een weelde van stenen bloemen en bladeren.

Tenslotte rustte ik uit op het hoogste terras bij de mediterende boeddha's in hun nissen en ajour opengewerkte koepels. De bergen die de vlakte van Kedoe omringden, en de door de wind bewogen loofmassa's aan de voet van het monument, kregen diepere kleuren, scherpere omtrekken in het late middaglicht.

Thuis, in Nederland, begon het lange wachten. De laatste geplande datum voor Taco's terugkeer verstreek. Geen brief, geen telegram, geen telefonisch bericht. Ik nam contact op met de ambassade in Jakarta, en die schakelde de Indonesische autoriteiten in. Tenslotte kreeg ik te horen dat Taco op Banda-neira, Banda Besar en Pulau Ai was geweest, maar na twee weken weer vertrokken was. In het losmen op Ternate, waar hij een aantal nachten gelogeerd had, wisten ze alleen dat hij informatie wilde hebben over verbindingen met Halmaheira. Verder ontbrak ieder spoor.

Hij werd als vermist opgegeven.

Hoe ben ik die tijd, driehonderd negenenzeventig dagen en nachten, langer dan een jaar, doorgekomen? Ik denk dankzij de afspraken in verband met mijn werk, die ik niet op korte termijn kon schrappen zonder anderen in moeilijkheden te brengen, en verplichtingen die me dwongen me te concentreren. Ik stond in contact met allerlei instanties die me aangeraden waren als mogelijke hulpverleners of bronnen van informatie. Nadat tenslotte via onder andere Interpol en het Rode Kruis het spoor leidde naar de zuidelijke Filippijnen, heeft het nog maanden geduurd voor de verblijfplaats van de groep gegijzelden ontdekt, en Taco bevrijd was. Hij wilde niet dat ik naar het ziekenhuis in Manila zou komen, waar men hem heen gebracht had, maar vroeg me zo snel mogelijk zijn vervoer naar Nederland te regelen.

Geachte mevrouw Warner,

De aanvullende gegevens die u me gestuurd hebt, vind ik wel degelijk belangrijk. Dat Dee Mijers (die ik liever toch maar Mila Wychinska blijf noemen) de moed heeft gehad tijdens anti-Chinese rellen in Jakarta op te komen voor de 'peranakans', ligt helemaal in de lijn van de informatie waarover ik al beschik.

U kent de problematische situatie van de Chinezen in Indonesië, die als (meestal geschoolde) arbeidskrachten, handelaren, geldschieters, later bankiers, sinds eeuwen een cruciale rol spelen in de economie van het land en vanwege hun zakelijke instelling, hun ambitie en hun 'netwerken' telkens weer het doelwit worden van volkswoede. Hoe prominent zij aanwezig waren in het Indische stadsleven weet u natuurlijk beter dan wie ook.

Volgens de statistieken zijn er onder Soekarno's bewind meer dan een miljoen Chinezen Indonesisch staatsburger geworden, minstens evenveel bleven stateloze inwoners, en een paar honderdduizend beschikten over een paspoort van communistisch China. Zoals u zelf al aangeeft in uw brief werden na de mislukte staatsgreep van '65 al die categorieën 'Tjong Hoa's' verdacht van heulen met Peking. Na de gewelddadigheden en plunderingen zijn er drastische maatregelen genomen, in feite allemaal in het nadeel van de peranakans: Chinese namen in Indonesische

159

namen veranderd, Chinese lettertekens voor reclame en druk-werk verboden, Chinese scholen gesloten, Chinees als voertaal voor openbaar gebruik niet geduld.

Er zijn verschillende redenen denkbaar waarom Mila Wychinska partij koos voor die categorie zondebokken van Soeharto's Nieuwe Orde. Maar eerlijk gezegd lijkt het mij, na wat u me verteld hebt over de breuk tussen haar en haar grootmoeder Mijers in 1942, niet waarschijnlijk dat zij gehandeld heeft uit gevoelens van solidariteit met eventuele Chinese verwanten van het intussen uitgestorven geslacht Muntingh! Door een andere naam aan te nemen had zij toen toch al duidelijk gemaakt dat zij zich niet meer als een lid van die familie beschouwde.

Ik denk eerder aan een politieke keuze, nog onder invloed van de Polen met wie zij in de jaren voor 1965 immers contact had. Gezien het feit dat de altijd nationalistisch denkende Soekarno zich met deze mensen inliet, behoorden zij vermoedelijk tot de toen nieuwe, meer gematigde, richting van Gomulka. Mila's achternaam moet hen als muziek in de oren geklonken hebben, omdat die, hoewel anders gespeld, gelijkluidend was aan de naam van Gomulka's invloedrijke medestander, kardinaal Wyszyński. Vandaar misschien faciliteiten in verband met een Pools paspoort!? Ik ben er niet zeker van dat zij zo'n document ooit werkelijk bezeten heeft.

Op het summiere lijstje met gegevens over uzelf en uw man dat u me een paar weken geleden stuurde, meldt u dat u in 1964, dus drie jaar voordat u in Jakarta Non Mijers opzocht, Mila Wychinska toevallig hebt ontmoet in Parijs, maar helaas zegt u daar verder niets over.

Ik blijf me aanbevolen houden voor wat u nog te binnen mocht schieten!

Met hartelijke groeten,
    Bart Moorland

In 1964 ging ik met Taco mee naar Parijs, waar hij moest zijn voor de afronding van een reeks besprekingen in verband met de uitgave van een historische encyclopedie. Hij was redactiesecretaris van de Nederlandse bijdragen. Die vergaderingen duurden nooit langer dan twee dagen. Ditmaal was het mogelijk er een korte vakantie van te maken, omdat de laatste bijeenkomst aansloot bij een weekend. Wij hadden wandelingen uitgestippeld, kaarten besteld voor de Comédie-Française. Er waren tentoonstellingen die ik graag wilde zien.

Ik had met koffie en een krant op een terras zitten wachten tot Taco klaar zou zijn. Die bijeenkomst liep blijkbaar uit, maar ik verveelde me niet, opgenomen in het geroezemoes om me heen van de eerste klanten voor het dejeuner, en voortdurend geboeid door voorbijgangers op het trottoir van de boulevard Saint-Germain. Toen ik Taco in de verte zag aankomen, kon ik mijn ogen niet geloven. Er liep een vrouw naast hem, en die vrouw was Dee.

Ik stak mijn hand op, Taco zwaaide terug. Dee groette niet, maar bleef me op de manier die ik zo goed van haar kende, met een vonk van uitdaging in haar blik, strak aankijken terwijl ze dichterbij kwam.

Zij was het, en toch was zij het niet. Ze droeg een korte sluike zwarte jurk, en laklaarzen, de modieuze dracht van veel Parisiennes in die tijd.

'Kijk eens wie ik hier op straat gevonden heb!' riep Taco.

Het was meer dan tien jaar geleden sinds Dee en ik elkaar voor het laatst gezien hadden, op het voorgalerijtje van mijn hotelkamer in Jakarta. Non schreef mij wel eens, en in mijn antwoorden aan haar deed ik ook de groeten aan Dee (over wie Non geen berichten zei te hebben), maar van Dee zelf hoorde ik nooit iets.

Wij lunchten met zijn drieën in een rustige hoek, achterin de brasserie, waar halfhoge schotten rondom de tafeltjes een sfeer van intimiteit schiepen. Taco hield het gesprek gaande, tot mijn verbazing op een toon alsof we nog scholieren in Batavia waren. Dee nam nauwelijks een hap van het eten, verkruimelde een stukje stokbrood, en keek telkens van opzij naar mij met haar koele onderzoekende blik, die me in verwarring bracht omdat er geen zweem van vertrouwelijkheid in school.

Uiterlijk was zij niet echt veranderd. Ik wist dat ik er ouder uitzag, met fijne rimpellijnen bij mijn ogen, en hier en daar al een paar grijze haren. Dees huid was nog even gaaf als vroeger, en de groenachtige glans van haar ogen geprononceerder dan ooit in haar mat getinte mooie gezicht.

Taco had haar zien staan voor de boekhandel van de Presses Universitaires de France, en haar, zoals hij zei, ter plekke 'gevangen'. Op mijn vraag hoe zij in Parijs kwam, bleven haar antwoorden aan de oppervlakte: zij had een soort van studiebeurs gekregen om zich te oriënteren in Europa, die voor haar onbekende wereld, waar toch voor een belangrijk deel haar wortels lagen. Zij was ook in Polen en in Oost-Duitsland geweest. Maar Europa trok haar niet, zij voelde zich meer internationaal gericht, met een voorkeur voor Zuidoost-Azië, nu immers vanwege Vietnam brandpunt van de wereldgeschiedenis. Wat zij in de toekomst ging doen wist zij nog niet. Zij had wel eens gedacht over werk in de diplomatieke sfeer, maar bij nader inzien was zij ervan overtuigd dat de dingen waar het eigenlijk om ging daar niet aan de orde kwamen.

Taco had haar kennelijk tijdens hun wandeling van de PUF-boekhandel naar het Café de Cluny op de hoogte gebracht van ons leven, en van zijn en mijn werk, want zij bleek er al alles van te weten.

Ik herinner me hoe verbaasd ik was over het feit dat voor die twee de tijd stilgestaan leek te hebben. Zij praatten met elkaar op dezelfde licht plagerige nonchalante toon van verstandhouding als vroeger. Ook ik had graag tegenover Dee mijn oude toon willen hervinden, maar ik kon het niet.

Omdat Dee een afspraak had, ging zij voor het

dessert weg. Taco begeleidde haar naar de uitgang van het café. Daar keek zij even naar mij om. Wij zagen haar in die dagen niet meer.

Ik vond het jammer dat zij zo weinig over zichzelf verteld had. Taco reageerde laconiek, met een lach.

'Dee is een vrije vogel. Vivere pericolosamente! Gevaarlijk leven!' zei hij, mij herinnerend aan de slogan waarmee Soekarno nog niet zo lang tevoren zijn agressieve politiek jegens Maleisië en het neokolonialisme en neo-imperialisme had gepropageerd. Dee hield van avontuur, en zou via die Poolse connecties haar draai wel vinden.

Terwijl ik dit opschrijf, realiseer ik me dat Moorland voor deze gegevens natuurlijk belangstelling zal hebben.

Terugkijkend op die ontmoeting, herinner ik me nu het gevoel van onlust dat me de volgende dagen niet wilde verlaten. Iets dwong me om Dee telkens weer ter sprake te brengen. Dat Taco zei haar mooi te vinden, 'la femme en fleur', in volle bloei, hinderde me, al was ik het met hem eens, en bewonderde ik Dee om haar wereldse uitstraling en zelfbewuste optreden. 'Bloei wekt nijd?' vroeg ik me af, op een ogenblik van 'Reaelistisch' inzicht. Ik moest toen om mezelf lachen, ik schaamde me voor mijn overdreven reactie op Taco's als vanouds luchtige en lichtelijk ironische complimenten aan Dees adres.

Geachte mevrouw Warner,

De vragen die u mij stelt had ik eigenlijk eerder verwacht. Het verbaasde me al dat u niet nieuwsgieriger was naar wat ik u op grond van mijn onderzoek over uw jeugdvriendin zou kunnen berichten.

U wilt weten of zij in het jaar 1967 op de Filippijnen is geweest. Daar durf ik wel bevestigend op te antwoorden. In hoeverre bent u op de hoogte van de toestand zoals die daar toen was? Helaas lijkt er sindsdien nauwelijks iets veranderd. Nog altijd zijn land, kapitaal en macht voor het grootste deel in handen van een rooms-katholieke elite, net als in de periode van vier eeuwen Spaanse en een kleine honderd jaar Amerikaanse overheersing, en meer dan ooit is 'Manila' (zowel de regering als het mentale klimaat in die stad) synoniem met opportunisme, corruptie, georganiseerde misdaad. Liberalisering en hervorming van de economie staan officieel al decenniën op het programma, maar pogingen in die richting stranden telkens weer op onvoorstelbaar politiek touwtrekken en wederzijds beentje lichten van de betrokken partijen. Er is een actieve, meestal gewelddadige oppositie van meer bevrijdings-, verzets- en separatistische bewegingen dan ik op mijn vingers kan natellen. U zult in de kranten wel het een en ander gelezen hebben over de ontvoeringen en bomaanslagen door terroristische moslimcommando's. In 1967 was dat allemaal al in kiem aanwezig, en nog onoverzichtelijker dan nu.

Ik weet dat Mila Wychinska in de jaren '65, '66 en '67 herhaaldelijk gesignaleerd is op Luzon en Mindanao als contactpersoon met het sinds 1961 actieve Amnesty International. In dat verband heb ik de naam horen noemen van een destijds als auteur, boek- en kunsthandelaar zeer bekende Filippijnse nationalist. Hij leeft niet meer, maar twee vroegere medewerkers van hem hebben gereageerd op mijn schrijven. Zij herinnerden zich de Engelssprekende vrouw met de Oost-Europese naam als een gewaardeerde bemiddelaarster, in elk geval gedurende een bepaalde periode. Zij had echter wantrouwen gewekt en verwarring gesticht toen zij ook contact bleek te onderhouden zowel met de communistische ondergrondse in Maleisië als met piraten en smokkelaars op de Sulu-eilanden in het zuidelijke deel van de Filippijnen.

Mevrouw Warner, het zijn juist deze en dergelijke tegenstrijdige gegevens die me motiveren in verband met mijn onderzoek naar Mila Wychinska.

Ik begrijp zo langzamerhand wel dat u na uw jeugdjaren op Java nog maar zelden contact hebt gehad met Dee Mijers. Alles vind ik belangrijk, ook de dingen die u alleen van horen zeggen bekend zijn.

Vooral ben ik benieuwd naar uw eigen veronderstellingen.

Met hartelijke groeten,

Bart Moorland

In 1973 volbracht Non haar hadj. Zij stuurde mij een prentbriefkaart uit Jeddah, waar de schepen met pelgrims aankomen en vertrekken. Die kaart ligt in mijn ebbenhouten kist. Ik werd me bewust van de kwellingen die vrome moslims vol overgave doorstaan. Keer op keer, tot stikkens toe benauwd in een opeengepakte mensenmassa meegesleurd worden rondom de Kaäba, de Heilige Steen, in het hart van Mekka. Eindeloos staan wachten op toegang tot een plek voor de rituele wassingen, op de uitdeling van drinkwater, op de komst van een vervoermiddel. Geen andere rustplaats dan het immense schaduwloze tentenkamp in de woestijnhitte, de brandende wind. De verplichte kilometerslange tochten, bij voorkeur te voet, in het spoor van de Profeet, naar gewijde oorden buiten Mekka om daar te bidden, te mediteren, en een aantal stenen pilaren die beschouwd worden als zinnebeelden van het Kwaad met kiezels te bekogelen.

Ik trachtte me Non voor te stellen in de verplichte pelgrimsdracht van witte doeken zonder zoom of hechting. In gedachten zag ik haar staan tussen de drommen, bij aankomst op de heilige grond onophoudelijk de invocatie prevelend die zij in haar keu-

rige zusters-ursulinenhandschrift achterop de brief-
kaart uit Jeddah had gezet, onder (naar ik aanneem)
diezelfde tekst in Arabische letters: 'Hier sta ik dan
voor Uw aangezicht, o mijn God, hier sta ik dan!'

Was het de suggestie die van de kaarten uitging, of
heb ik me laten beïnvloeden door een artikel in het
National Geographic Magazine, met foto's van de kale
okerkleurige rotsen en de hete zandvlakten in 'Al-
lahs Tuin'? Nu ik me dwing om al het voorbije dat ik
zou willen vergeten weer toe te laten in mijn bewustzijn, herinner ik me dat ik toen vaak 's nachts wakker schrok met een gevoel alsof ik, door harde handen neergedrukt, stikte in gloeiend zand. Ik bracht
die wurgende beklemming in verband met mijn angst
om Taco, ik wist immers dat ik hem ging verliezen,
dat hij eigenlijk al stervende was.

Pas maanden na zijn dood drong het tot me door
dat ik nooit meer iets van Non hoorde. Ik schreef
herhaaldelijk naar Pakembangan, maar kreeg geen
antwoord. Soedah, laat maar, dacht ik tenslotte, de
oude band is verbroken, wij leiden zulke verschillende levens.

Wat die ene verlate condoleancebrief, haast een jaar
na Taco's begrafenis, in mij teweeggebracht heeft,
kan ik nog altijd niet onder woorden brengen. Het
blijft een schrijnende plek in mijn bewustzijn. Niet
alleen om wat me zo totaal onverwacht werd meege-

deeld. Het onverdraaglijke is dat ik geen zekerheid heb, ik weet helemaal niets. Waarom heeft Taco gezwegen over dingen die zo bepalend geweest zijn voor onze verhouding?

De brief kwam uit Amerika, bleek gepost op de campus van een kleine universiteit ergens in de staat Utah. De schrijver, waarschijnlijk een aan die instelling verbonden docent, in elk geval een wetenschapper, had via een bericht in een historisch vakblad vernomen dat Taco overleden was. Door langdurig verblijf in Zuid-Amerika was dat nieuws hem niet eerder onder ogen gekomen, en ook had hij het adres moeten opsporen.

Hoewel zo ontstellend lang na dato wilde hij alsnog zijn innige deelneming betuigen, en 'dear Mrs.Tadema' verzekeren dat de toevallige en zo verrassende ontmoeting met haar echtgenoot op het eiland Morotai in 1967 tot zijn beste herinneringen zou blijven behoren, door de gelijkgerichtheid van hun opvattingen en wetenschappelijke belangstelling, en vooral ook door een gedeeld gevoel voor humor. Nog vaak had hij gedacht aan de gesprekken op het strand, bij maanlicht, aan de snorkeltochten boven de schitterende koraaltuinen, en de wrakken van Japanse oorlogsschepen die door zijn landgenoten tot zinken waren gebracht tijdens de acties onder MacArthur! Het had hem zo gespeten dat hij zijn verblijf op dat idyllische noordelijkste eiland van de

Molukken niet had kunnen verlengen om zo in de gelegenheid te zijn persoonlijk kennis te maken met 'you, dear Mrs. Tadema, "Day", if I may call you by that name', over wie hij zoveel gehoord had, en naar wier komst op Morotai 'Tay' toen verlangend uit-keek.

Ja, zij waren D. en T., voor mij, en voor elkaar.

Ik hield alleen maar vragen over, die ik gedurende de afgelopen jaren telkens om- en omgekeerd heb in mijn gedachten.Waren zij geliefden? Al in 1940, na Taco's terugkeer naar Indië? Hebben zij elkaar ach-ter mijn rug om weer ontmoet in 1952, in Jakarta en Bandoeng? Dee wist immers van Non dat wij zouden komen. Troffen zij elkaar in Parijs, in 1962 en '63, al die keren dat Taco daar was voor de vergaderingen van de historische encyclopedie? Zij zijn in 1967 sa-men geweest op Morotai, ter afsluiting van Taco's reis naar de Banda-eilanden. Kwam Dee daar naartoe vanuit de Filippijnen? Is er toen een conflictsituatie tussen hen ontstaan? Vond zij dat hij kiezen moest tussen mij en haar, heeft zij Taco's 'halfheid' niet kunnen aanvaarden, evenmin als ik dat gedaan zou hebben wanneer ik alles geweten had? Was zij op de hoogte van zijn vermissing, zijn gijzeling, is zij op de een of andere manier betrokken geweest bij zijn be-vrijding? Wat gaf zij hem dat ik niet geven kon? 'The way you haunt my dreams'?

Was Taco destijds, op school, al in de ban van haar schoonheid, haar sensuele uitstraling, die ik wel zag maar nooit als een gevaar beschouwde? Het kwam niet bij mij op jaloers te zijn.

Was zij dat wel op mij? Voelde zij zich begeerd, maar niet gerespecteerd, verdacht zij Taco van de geringschatting die zij als meisje soms zo pijnlijk ervaren heeft van totokmannen? Zij geloofde ook niet werkelijk in mijn vriendschap.

Kende Non de waarheid, en was dat de reden van haar soms zo onverklaarbare onwil om over Dee te spreken?

1976. Het is me niet mogelijk te voet door Jakarta te gaan. Voor iedere verplaatsing heb ik een taxi nodig. In het centrum waag ik me niet meer in een betjak. De hitte is ondraaglijk, een klamme, vettige, door geen zucht wind bewogen luchtlaag hangt boven de stad. In een walm van uitlaatgassen raast een stroom van toeterende auto's over de nieuwe verkeersaders.

Ik zit op de achterbank in een hoek geleund, te apathisch om me druk te maken over de stank, het stof, het oorverdovende lawaai op straat, de obstakels die zelfs de kortste rit eindeloos doen duren. Zodra we stilstaan in een file klampen venters van krantjes, snoep, sigaretten zich vast aan de portieren, de bumpers. Er zijn kinderen bij, sommigen zo haveloos in smerige vodden dat ik ze wat roepiabiljetten wil toesteken, maar de taxichauffeur verbiedt me het raam omlaag te draaien. Het zweet druppelt vanonder mijn haar in mijn nek, en in de halsopening van mijn bloes. Ik ben zesenvijftig jaar, en ik ben het klimaat ontwend.

Wat ik tijdens de rit zie van de stad lijkt in niets meer op het beeld van vroeger, dat ik toch nog wel enigszins teruggevonden had in het slordige Jakarta van 1952, en zelfs in de zich snel uitbreidende agglomeratie met een begin van hoogbouw in 1967. Nu zijn alle wegen buiten de centrale zone van wolkenkrabbers-in-wording (behalve natuurlijk de lanen in de bewaakte en schoongehouden wijken waar hooggeplaatsten uit leger en ambtenarij, en buitenlandse diplomaten wonen) aan weerszijden begrensd door bermen, die dag en nacht krioelen van mensen met handeltjes, hun schamele bezittingen in pakken en zakken, een permanent openluchtverblijf voor daklozen, prostituees, bedelaars.

Misschien hebben zij gelijk gehad die zeiden dat ik niet terug moest gaan. Maar ik ben hier niet als een toerist uit nostalgie. Ik wil weten waarom Non zwijgt. Alleen Non kan me zeggen waar ik Dee moet zoeken. Maar Non is onvindbaar.

De kwekerij Pakembangan bestaat niet meer. Er is daar nu een proefstation voor landbouw, dat bij de universiteit schijnt te horen. Mijn speurtocht naar Non verloopt uiterst moeizaam. Met hulp van de ambassade heb ik een introductie gekregen voor het bevolkingsregister in de wijk Slipi, met tot nu toe geen ander resultaat dan bevestiging van het feit dat de kwekerij Kebun Bibit Anggrek Pakembangan failliet gegaan is, omdat er nu bloemen en planten van betere kwaliteit gekweekt worden op de Poentjak of in de omgeving van Bandoeng.

Na lang wachten word ik ontvangen door de ambtenaar die me al eens eerder te woord gestaan heeft. Ik herinner hem aan zijn belofte nadere inlichtingen in te winnen over Ibu Sjarifa. Het valt me op dat hij verstrooider, en aanmerkelijk gehaaster is dan bij mijn vorige bezoek. Ik begrijp daaruit dat hij geen goed nieuws voor mij heeft, en het vervelend vindt dit te moeten zeggen. Ik bedoel toch Ibu Sjarifa, die de bedevaart naar Mekka heeft gemaakt? Zij staat nog ingeschreven als bewoonster van het district waar Pakembangan toe behoort, maar een adres heeft hij niet. Ken ik die hadja persoonlijk? Als ik dat beaam, vraagt hij of ik weet dat zij als lid van een groep fanatieke vrouwen persona non grata is in de stad. Bij een recente demonstratie voor het paleis aan het Merdekaplein hebben die dames spandoeken gedragen met verwijten aan het adres van president Soeharto's echtgenote, omdat zij grond die bestemd was voor de bouw van betere stadskampongs verkocht heeft aan projectontwikkelaars die er winkelcentra en luxehotels willen neerzetten. Er zijn hoogst beledigende, en in feite subversieve kreten van 'Corruptie!' gehoord.

Ik kan dat niet geloven. Non is achtenzeventig jaar, een broze oude vrouw. Provocerend optreden zal zij nooit, dat strookt ook niet met haar geloofsopvattingen. Hij schuift me een persfoto toe. Ik zie een rij vrouwen met de strak om hoofd en schouders gewonden witte ondoorzichtige sluiers van de fundamentalistische moslima's. Alleen hun gezichten zijn onbedekt.

Hij tikt zachtjes met zijn duim op de glimmende vergroting in zwart-wit. Wat ik zie overrompelt me zo dat ik mijn schrik en verbazing niet dadelijk kan verbergen.

'Ibu Sjarifa is daar niet bij,' zeg ik, maar mijn reactie is hem niet ontgaan. Hij zucht, en haalt zijn schouders op. Dan kan hij tot zijn spijt verder niets voor mij doen.

Tussen de vrouwen die hij aanwees, staat niet Non, maar Dee.

Omdat ik wist dat ik na dit bezoek nooit meer terug zou komen in mijn geboorteland, wilde ik de laatste paar dagen voor mijn vertrek besteden aan excursies naar plekken die veel voor me betekend hebben, de Plantentuin in Bogor, het bergdorp Sindanglaja, Tjibodas. De lange steile klimtocht naar de top van de Gedeh ging mijn krachten te boven, ook de watervallen van Tjibeureum waren me te ver. Wel dwaalde ik uren tussen de araucaria's, cipressen, rasamala's en eucalyptussen van Tjibodas, dezelfde bomen waar ik als kind zo vaak bewonderend naar heb opgezien, en ik zat lang in de koepel op het wijd glooiende grasveld, met uitzicht op de bergen, die wazig blauw opdoemden in de hittenevels van de middag. Tenslotte liep ik een eind omhoog langs het pad naar de pondok van de Tadema's. Ik zag al van verre dat die er niet meer stond.

In Jakarta ging ik nog een keer naar mevrouw Mijers' oude huis. De lelijke houten schotten en versperringen van ijzerdraad waren verdwenen, de buitenmuren vers gewit, en voor- en achtererf in gebruik als parkeerterrein en markt. Zonder tuin leek het huis kleiner dan vroeger, het had ook zijn voorname koloniale allure verloren. Tussen warongs en auto's door liep ik naar de waringin, die zich als een berg van loof boven de rommelige plek verhief. Een hek beschermde de bundeling van oude luchtwortels rondom zijn stam, en de nieuwe, los neerhangende, die zich in de bodem moesten vasthechten. Het graf van de hadji was er nog altijd, maar als het ware opgenomen binnen de reusachtige boom.

Vlak voor mij stond een vrouw, die tussen de spijlen van het hek door naar de verticale zerk reikte, als om daar een offergave neer te leggen. Ik zag haar alleen op de rug. Zij droeg een losse katoenen jurk van ouderwets model, haar sluike zwarte haren werden

177

door schuifspelden op haar achterhoofd bijeenge-
houden. In haar manier van staan en haar kleding
was iets wat mijn hart deed bonzen. Ik had de indruk dat ik mijn hand maar hoefde uit te strekken
om haar aan te raken, maar de luchtlaag tussen ons
leek veranderd in een wal van ondoordringbaar glas.
Ook verzette alles in mij zich tegen dat contact.

Toen, ineens, was zij er niet meer, opgelost in de
wemeling van licht- en schaduwplekken onder het
zware bladerdak.

Ik had de innerlijke zekerheid dat Non dood was, en
had bovendien met eigen ogen Dee gezien, vermomd
als de hadja die zij nooit kon zijn.

Opgekropte verbittering brak zich baan, de vloedgolf uit de angstdromen van mijn jeugd haalde me
in, en stortte over me heen, een klauwend monster
van zwart water.

Toen heb ik iets gedaan wat ik mezelf niet vergeven kan.

Bij de autoriteiten in Jakarta heb ik verteld wie de
vrouw was die zich uitgaf voor Ibu Sjarifa. Ook na
tien jaar riep de naam Mila Wychinska nog herinneringen op aan die ooit veelbesproken verschijning
onder de buitenlandse entourage van president Soekarno. De weinige gegevens waarover ik beschikte
heb ik op tafel gelegd. Ook drong ik aan op onderzoek naar het lot van de echte Ibu Sjarifa. In feite gaf

ik Dee de schuld van Nons onverklaarbare verdwijning. Maar is dat de werkelijke reden waarom ik haar verraden heb?

In zijn eerste brief heeft Moorland me geschreven dat Mila Wychinska 'naar sommigen beweren' overleden is 'tijdens een reis op Sumatra (of Java, of Timor)', en dat de datum en omstandigheden van haar dood hem niet bekend zijn. Het staat dus niet vast wat er met haar gebeurd is. Hield zij zich schuil, was zij op de vlucht? Viel zij in handen van vijanden, tegenstanders, of misschien vroegere medestanders die zich door haar in de steek gelaten voelden? Misschien leefde zij gewoon verder in weer een andere vermomming, een andere rol?

Geachte mevrouw Warner,

Wat u me meedeelt over uw ervaringen in Jakarta in 1976, houdt me bezig. U zag op een foto Mila Wychinska als lid van een groep vrouwen in de kleding die de orthodoxe islam voorschrijft. Dat deze vrome moslima's deelnamen aan een demonstratie met een uitgesproken politiek karakter, is op zichzelf niet zo merkwaardig. Al voor de oorlog stonden op Java, en ook in andere delen van de archipel, bepaalde islamitische organisaties dichter bij het eenvoudige volk in de dorpen dan de steedse intellectuelen en politici. Zij hebben altijd een belangrijke rol gespeeld in de strijd om onafhankelijkheid, en later in het verzet tegen autoritaire en kapitalistische tendensen van de leiders in Jakarta. Het is zeker waar dat de islam in Indonesië vanouds een democratiserend karakter heeft gehad. De oelama's en imams waren verdraagzaam ten opzichte van tradities en rituelen die geworteld zijn in vaak nog animistisch gekleurd volksgeloof.

Maar nu lijkt het alsof het voorbij is met die tolerantie. Via oncontroleerbare stromingen in de islam dringt niet alleen streng religieus fundamentalisme maar ook een fanatieke politieke ideologie de massa binnen. Gematigde islamieten die ik ken, spreken zelfs van 'gesluierd communisme'. Tal van terroristen gaan er prat op diepgelovige mohammedanen te zijn.

U vraagt me wat volgens mij de overtuigingen en drijfveren

van Mila Wychinska waren. Ik weet het niet. In die heksenketel van Zuidoost-Azië: Indonesië, Maleisië, Cambodja, Laos, Vietnam, de Filippijnen, dook zij altijd op tussen degenen die de klappen kregen, of dat nu boeren waren die onder druk van lokale machthebbers hun grond en hun oogsten moesten afstaan, of een heel volk dat zich verzette tegen overheersing door een ander volk, of een etnische groep die onder de voet gelopen dreigde te worden, of vrouwen en kinderen die in de prostitutie en als allergoedkoopste industriële werkkrachten geëxploiteerd werden. Het viel nooit uit te maken of zij pro of contra de een of andere ideologie was, de mensen zagen en waardeerden vooral haar inzet, haar moed. Zij wist, op kleine schaal, steeds hulpbronnen aan te boren, reddende instanties te alarmeren, en ook soms contacten te leggen met organisaties die over de macht en de middelen beschikten die zij niet had. Het beeld dat bij mij rijst op basis van al die gegevens, is dat van een vrouw die fel emotioneel uit verontwaardiging of medelijden handelde, en niet volgens een weloverwogen programma. Dat zal ook wel de reden zijn waarom haar naam zo zelden genoemd wordt in het kader van de officiële internationale activiteiten op het gebied van mensenrechten en milieuzorg.

Ik denk dat zij in alle kampen haar informanten en medestanders had, en vaak grote risico's nam wat haar eigen veiligheid betreft. Na de couppoging in '65 was zij ongetwijfeld een ongewenst persoon in de wereld van president Soeharto en de zijnen. Om daar weer binnen te komen moest zij een andere identiteit aannemen. Ik kan me uw verontrusting in verband met 'Ibu Sjarifa' heel goed voorstellen. Het onderzoek dat u aan de auto-

riteiten in Jakarta gevraagd hebt, heeft kennelijk nooit iets op-
geleverd, of is genegeerd. Wat mij interesseert is of Mila Wychinska vrijwillig of onder druk van buitenaf als Sjarifa infil-
treerde in die groep van moslima's. Wanneer zij niet aan een
ziekte overleden is, of een ongeluk heeft gekregen, is het niet uit-
gesloten dat zij het slachtoffer werd van onenigheid of wraakac-
ties binnen een van de activistengroepen waar zij mee te maken
had.

Het zal wel nooit mogelijk zijn achter de waarheid te komen.
Zij blijft een intrigerende persoonlijkheid. Ook los van dit be-
perkte onderzoek, dat bij gebrek aan meer informatie niet meer
dan een wat uitgewerkte voetnoot oplevert voor mijn artikelen-
reeks, zou ik nog wel een en ander willen weten over die jeugdjaren in Indië van u en 'Dee'. Iemand zoals ik, die twintig jaar na
het einde van de oorlog geboren is, kan zich eigenlijk geen voorstelling maken van dat koloniale leven.

U schreef me dat u nooit meer iets gehoord hebt van Sjarifa
na 1973, toen zij als pelgrim naar Mekka ging. Ik heb er een
krantenarchief op nageslagen, en ben zo te weten gekomen dat
in dat bewuste jaar een autobus met pelgrims op de terugweg
naar de havenstad Jeddah in de woestijn verongelukt is. Er waren zeer veel doden. Mogelijk is zij daar, toen, omgekomen?

In de hoop dat u binnenkort nog wat materiaal voor mij
hebt, niet om te publiceren, maar om mij een indruk te geven
van de wereld waarin u jong geweest bent, verblijf ik, met hartelijke groet,

Bart Moorland

Weer veronderstellingen in plaats van feiten. Het zijn net zulke slagen in de lucht als de hypothesen die Taco en ik tegenover elkaar onder woorden brachten in verband met Laurens Reaels optreden in de Molukken. Ik wil dat niet meer.

Wat bezielde Dee? Een poging om een gemis dat haar hele leven beheerste aan te vullen, een emotionele honger te stillen? Ik denk dat zij een intense behoefte had om betrokken te zijn bij ieder streven, waar dan ook, hoe dan ook, naar vrijheid, zelfverwezenlijking, erkenning van eigen waarde en waardigheid.

Zij heeft mij nooit willen kwetsen, mij geen gezichtsverlies willen berokkenen, zij respecteerde mij als Taco's 'eerste keus', zoals het voor hem vanzelf sprak dat ik zijn leven deelde. Maar nooit zou ik aanvaard hebben dat zij zijn 'intieme keus' werd. Zij begrepen dat en daarom zwegen zij over hun verhouding, en heeft Dee elk contact met mij vermeden. Ik denk nu dat ik haar noch hem iets te vergeven heb.

Taco en ik waren gelijken binnen eenzelfde soort, die van de blanke 'hier-geborenen', maar hij en Dee, beiden 'niet-totoks' op een onderling verschillende manier, vulden elkaar aan, elk de belichaming van een essentieel verlangen van de ander. Tussen Dee en mij, in vriendschap, was zo'n eenheid blijkbaar niet mogelijk, tussen Taco en haar, in hartstocht, wel. Ook nu kan ik de gedachte daaraan, die ik al die jaren uit mijn bewustzijn heb gebannen, alleen verdragen door te berusten, pasrah, in wat was voorbestemd: nasib, het lot. Ik merk dat ik ben gaan denken als Non.

Het bericht van Het Hoge Bos waar ik al zo lang op wacht, is er. Een grote en een aangrenzende kleine kamer zijn vrijgekomen. Nu moet ik dit huis opruimen, de makelaar opdracht geven het te verkopen. Vrijwel mijn hele leven als volwassene heb ik hier gewoond. De beste momenten van mijn huwelijk met Taco hebben zich binnen deze muren afgespeeld. In de lange eenzame jaren na zijn dood ben ik er tussen al de vertrouwde dingen, de meubels, de boeken, geleidelijk in geslaagd me te vereenzelvigen met het imago van een sereen verouderende emeritus hoogleraar kunstgeschiedenis, die een reeks publicaties op de boekenplank heeft staan, en nog net voldoende belangstelling kan opbrengen voor ontwikkelingen in het vak om niet helemaal vergeten te raken. Dat Moorland op het denkbeeld kwam contact met mij te zoeken, bewijst het. Maar nu lijkt ook die fase voorbij.

De sleutel van mijn ebbenhouten kist is terecht. Toen de tot het plafond reikende boekenkasten in de bibliotheek leeggehaald werden, heeft een van de verhuizers vanaf een ladder iets zien glimmen op de richel van de betimmering, boven de plek waar de kist staat. Dat is te hoog voor Stien en mij. Taco was heel lang. Ik denk dat hij in die laatste weken, toen hij nog wel rondliep in huis, de kist geopend heeft omdat hij zijn Reael-manuscript weer eens wilde doorbladeren. Zonder erbij na te denken zal hij na afloop de sleutel boven zijn hoofd op de richel geschoven hebben, in plaats van in de boekenkast, waar het ding hoorde te liggen.

Ik heb vergeefs staan morrelen, de tandjes van de baard zijn wat verbogen, en misschien ook is het slot vanbinnen verroest.

Ik ben van plan de kist aan Moorland uit te lenen. Misschien kan hij een vakman vinden die raad weet. Bovendien wil ik dat hij de inhoud bekijkt, en aan de hand daarvan verifieert wat ik hem verteld heb. Ik vertrouw hem, hij zal er in elk geval iets aan hebben voor een indruk van die 'koloniale jeugdjaren'.

Ik schrijf hem dat hij de kist en de sleutel mag komen halen.

Ik dacht dat het allemaal voorbij was, maar ik heb mij vergist. Een oud-collega stuurde mij de catalogus van een tentoonstelling in New York waar ik graag heen zou gaan als ik nog tot die reis in staat was. Al sinds jaren hoop ik eens een glimp op te vangen van de niet zo langgeleden in het nieuws gekomen Inada-collectie van oosterse decoratieve kunst.

Die is privé-eigendom van een Japanse industrieel, Yokuro Inada, en nooit eerder buiten Japan te zien geweest.

De kostbaar uitgevoerde catalogus geeft in kleurenfoto's een volledig overzicht van die werkelijk adembenemende expositie. Ik wist al dat Inada's belangstelling uitgaat naar bloem- en bladmotieven in sculptuur en schilderkunst, precies het gebied waar ik me op heb toegelegd, en nu ik de afbeeldingen zie, weet ik dat zijn voorkeur en smaak ook de mijne zijn. Schitterend Japans en Chinees borduurwerk, een paar zeldzame reliëfs in de stijl van de Boroboedoer, Loro Djonggrang en de Tjandi Mendoet, onder andere de gaafste 'makara' die ik ooit onder ogen heb gehad, houtsnijwerk van Balinese tempeldeuren, antieke Javaanse kaïns met het semèn-motief, alles bij elkaar niet heel veel, maar wel van de hoogste kwaliteit. Als ik over de middelen beschikt had om een verzameling aan te leggen, zou ik precies zo gekozen hebben. Wat Inada bijeengebracht heeft, is de apotheose van datgene waar ik mijn hele leven mee bezig geweest ben.

Er is uiteraard een deskundige inleiding bij de catalogus, met een kort geschreven 'profile' van Yoku-

ro Inada. Geboren in 1946, vanaf zijn zesde jaar ge-
vormd op exclusieve kostscholen in Zwitserland, heeft
economie gestudeerd in Duitsland, en aan de Sor-
bonne in Parijs, dankt zijn zakeninstinct en tech-
nisch inzicht aan zijn vader, een bankier, maar is tot
het verzamelen van juist deze kunst gekomen door
zijn moeder, 'a beautiful Eurasian from Indonesia,
recently deceased'. De tentoonstelling is een hom-
mage aan haar.

Een foto toont de heer Inada bij de openings-
plechtigheid. Iets dwong me die aandachtig te bekij-
ken: een opvallend lange en slanke, westers-chic geklede Japanner. Een gevoel van beklemming overviel
me, ik weigerde te geloven wat ik meende te zien. Ik
heb er een vergrootglas bij gehaald. Toen kon ik niet
meer twijfelen.

Hij heeft het gezicht van Dee.

Ik weet dat ergens in mijn geheugen alle stukken te
vinden zijn die samen een sluitend beeld van de
waarheid vormen. Ik heb ze niet herkend, of ze niet
willen zien, toen ze opdoken in de werkelijkheid van
mijn leven. De Inada-collectie is, via een verre omweg door tijd en ruimte, een signaal van Dee naar
mij. Het ontkent de vervreemding, het bewijst een
'gelijkheid' in lagen van ons wezen waar wedijver, af-
gunst, onbegrip, grieven, alle verschillen en tegen-
stellingen, geen reden van bestaan hebben. Onder de

oppervlakte was er tussen ons altijd een verbindend element, niet benoembaar, dat zich aan elke poging tot verklaring of analyse onttrekt. We hebben het ingeademd met de lucht van het land waar we geboren zijn. Het laat zich alleen bij benadering uitdrukken in symbolen als de kunstwerken die Yokuro Inada verzamelde, 'inspired by his mother'.

Dit zijn dingen die ik onmogelijk kan uitleggen aan Moorland. Als ik er woorden voor had – en die heb ik niet – zou hij ze trouwens irrelevant vinden in verband met de aard van zijn onderzoek.

Over Dee valt er aan hem niets meer te melden. Ik kan nu ook deze aantekeningen in de open haard gooien, een rookoffer ten afscheid.

Geachte mevrouw Warner,

De aangename persoonlijke ontmoeting met u, na die paar maanden schriftelijk contact, en het feit dat u me uw ebbenhouten kist hebt willen toevertrouwen, maken dat ik nu niet weet hoe ik u op de hoogte moet brengen van de stand van zaken.

Inderdaad heb ik de kist met deskundige hulp open gekregen.

Maar, lieve mevrouw, hij is leeg.

Ik begrijp voor welk probleem u zich nu geplaatst ziet. Kan het zijn dat u de documenten ergens anders opgeborgen hebt, en dat u dit vergeten bent omdat het jaren geleden is? U gaat binnenkort verhuizen. Uit ervaring weet ik dat verhuizingen fataal zijn wanneer men veel te bewaren heeft. Graag stel ik me beschikbaar om u te helpen met het sorteren en inpakken van bijvoorbeeld uw archief. Wie weet komen er mappen tevoorschijn met de papieren en foto's enz. die u kwijt bent. Ik breng u dan meteen de kist terug.

Gelukkig heb ik ook een bericht voor u dat u zeker wel aardig zult vinden. Een arabist uit mijn vriendenkring heeft het letterornament in het sleuteloog bestudeerd. Volgens hem zou het een – vanwege de stilering ingekort – citaat kunnen zijn uit een beroemd verhaal van de mystieke Perzische prozaïst Farid al-Din Attar. Er staat dan ongeveer dit:

AL WAT JE OOIT ZAG OF HOORDE, AL WAT JE

191

DACHT TE WETEN, IS NIET MEER DAT, MAAR AN-
DERS.

Een staaltje van oosterse wijsheid!
Met respectvolle groeten, en naar ik hoop tot ziens,
Bart Moorland

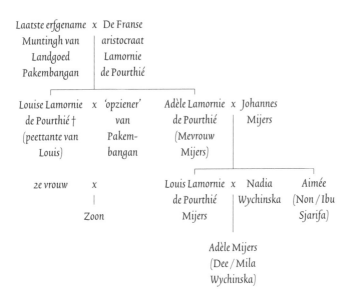

Laatste erfgename x De Franse
Muntingh van   aristocraat
Landgoed   Lamornie
Pakembangan   de Pourthié

Louise Lamornie x 'opziener'   Adèle Lamornie x Johannes
de Pourthié †   van   de Pourthié   Mijers
(peettante van   Pakem-   (Mevrouw
Louis)   bangan   Mijers)

2e vrouw   x   Louis Lamornie x Nadia   Aimée
         | de Pourthié   Wychinska   (Non / Ibu
    Zoon   Mijers   Sjarifa)

Adèle Mijers
(Dee / Mila
Wychinska)

Indische termen

adoeh uitroep van schrik, verbazing, pijn

ajo saudara, naik teroes, ja, lekas, tjepat vooruit man, doorrijden, ja, vlug, schiet op!

anggrek boelan witte maanorchidee, phalaenopsis amabilis

batik toelis de met hete was op de stof getekende batik

Belanda Hollander

bengkel werkplaats, rommelwinkel

bersiap Sta op! Weert u.

besaran het administrateurshuis op een onderneming

bingoeng de kluts kwijt, in de war

boeaja krokodil, boef

boenga bloem

boengoer rijk bloeiende heesterachtige boomsoort

boenoeh moord

boesoek bedorven

boleh het mag

boleh tjampoer mengen toegestaan

djempol (letterlijk: duim) mieters

doekoe kleine geelachtige zoete vrucht

goeling rolkussen

haloes beschaafd

jamoes geneesmiddel van gedroogde kruiden

kasar grof
kekasih lieveling
kesasar (letterlijk: verdwaald) ergens niet thuishoren
klenteng Chinese tempel
klontong Chinese huis aan huis verkoper van textiel
koelit langsep licht getinte huid
loh toen nou, zeg! hee!
losmen logement, pension
manis lief
nasib noodlot
pasrah berusting, aanvaarding
pasanggrahan eenvoudige logeergelegenheid
perkara netelige kwestie
pinter boesoek sluw
pondok hut voor tijdelijk verblijf
sarekat vereniging, broederschap
semèn batikpatroon met kleine plant- en bloem-
   motiefjes
sepada volk!
sepèn mannelijke huisbediende, hoofd van het huis-
   personeel
tengteng katjang versnapering van pinda's
terang boelan volle maan
tjelaka ongeluk
tjemara een tropische 'naald'-boom, Casuarina
toekang ambachtsman, koopman
warga negara (Indonesische) staatsburger
waringin Ficus Benjamina

Ander werk van Hella S. Haasse

Constantijn Huygensprijs 1981
P.C. Hooftprijs 1984
Annie Romeinprijs 1995
CPNB Publieksprijs voor het Nederlandse boek 1993

Oeroeg (novelle, 1948)
Het woud der verwachting (roman, 1949)
De verborgen bron (roman, 1950)
De scharlaken stad (roman, 1952)
De ingewijden (roman, 1957)
Cider voor arme mensen (roman, 1960)
De meermin (roman, 1962)
Een nieuwer testament (roman, 1966)
De tuinen van Bomarzo (essay, 1968)
Huurders en onderhuurders (roman, 1971)
De Meester van de Neerdaling (verhalen, 1973)
Een gevaarlijke verhouding of Daal-en-Bergse brieven (roman, 1976)
Mevrouw Bentinck. Onverenigbaarheid van karakter & De groten
der aarde (geschiedverhaal, 1978 en 1982, 1990)
Charlotte Sophie Bentinck. Onverenigbaarheid van karakter.
Een ware geschiedenis (1978, 1996)
Samen met Arie-Jan Gelderblom Het licht der schitterige dagen.
Het leven van P.C. Hooft (1981)
De wegen der verbeelding (roman, 1983)
Berichten van het Blauwe Huis (roman, 1986)

Schaduwbeeld of *Het geheim van Appeltern. Kroniek van een leven*
(biografische roman, 1989)
Heren van de thee (roman, 1992)
Een handvol achtergrond, 'Parang Sawat'. Autobiografische teksten (1993)
Transit (novelle, Boekenweekgeschenk, 1994)
Uitgesproken, opgeschreven. Essays over achttiende-eeuwse vrouwen,
een bosgezicht, verlichte geesten, vorstenlot, satire, de pers
en Vestdijks avondrood (1996)
Zwanen schieten (autobiofictie, 1997)
Lezen achter de letters (essays, 2000)
Fenrir (roman, 2000)

Over Hella S. Haasse

Een doolhof van relaties (red. Lisa Kuitert &
Mirjam Rotenstreich, Oerboek 2002)